Diplôme d'Études en Langue Française

DELF

Scolaire et Junior | A2

Nelly Mous, chargée de programmes

Pascal Biras, concepteur d'épreuves DELF-DALF pour le CIEP

hachette
FRANÇAIS LANGUE ÉTRANGÈRE

Crédits

Illustrations :

Steve Baker : pages 9, 11, 13 *(C'est parti !)*, 23, 33, 44, 46, 47, 53, 61, 74, 87, 98, 99, 105, 111, 118, 119, 121, 126, 130, 134, 160)
Bruno David : pages 13, 14, 15, 17, 18, 21, 35, 36, 40, 43, 81

Photos :

© Shutterstock, sauf les photos ci-après :
© Fotolia : pages 18 (coupon, caisse enregistreuse et pièce d'identité) et 24 (bibliothèque et terrasse)
© PYA : pages 17 et 84 (image C)

Tous nos remerciements à :

- Patricia Nidelet pour son implication à l'origine de cet ouvrage.
- Adèle Bordes et Morgane Corre, enseignantes, examinatrices-correctrices DELF-DALF et Baptiste Chauveau, référent cours et pédagogie, de l'Institut français de Palerme (Italie) pour la réalisation des tournages de production orale DELF A2 scolaire et junior.
- Caroline Legavre enseignante au *Liceo linguistico statale « Ninni Cassarà »*, ses élèves dont Simona Bertini et Morena Bubbeo pour la passation des épreuves individuelles du DELF A2 scolaire et junior.
- Stéphane Paroux, enseignant au lycée Paul-Valéry à Paris ainsi que ses élèves pour le tournage de la passation des épreuves collectives du DELF A2 scolaire et junior.

Couverture et conception graphique : Nicolas Piroux
Mise en pages : Sylvie Daudré
Enregistrements audio, montage et mixage : Qualisons
Post-production des vidéos : Qualisons
Réalisation des dialogues interactifs : Qualisons
Réalisation du DVD-ROM : Planet Nemo

ISBN 978-2-01-401611-6

© HACHETTE LIVRE, 2016
58, rue Jean Bleuzen
F 92178 Vanves cedex, France.
http://www.hachettefle.fr

Sommaire

Créés en 1985, le **DELF** (Diplôme d'études en langue française) et le **DALF** (Diplôme approfondi de langue française) sont des diplômes officiels délivrés par le ministère français de l'Éducation nationale. Ils permettent de certifier les compétences en français des candidats étrangers et des Français originaires d'un pays non francophone et non titulaires d'un diplôme de l'enseignement secondaire ou supérieur public français. Le **DELF** et le **DALF** sont reconnus au niveau international, sans validité dans le temps. Chaque année, plus de **400 000 candidats** issus de **174 pays** passent les épreuves du **DELF** et du **DALF** lors de sessions d'examens organisées par des centres agréés.

L'obtention d'un diplôme **DELF** ou **DALF** est, aujourd'hui, indispensable pour qui souhaite faire certifier ses compétences en langue française.

Pour les enfants et les adolescents scolarisés, le **DELF** est proposé dans des versions adaptées : le **DELF Prim** et le **DELF scolaire et junior**.

Le **DELF scolaire** et le **DELF junior** sont les mêmes examens, leur différence tient au mode de passation des épreuves :

▶ À l'étranger, le **DELF scolaire** est généralement passé dans des établissements scolaires et est régi par un accord passé entre le service de coopération et d'action culturelle de l'ambassade de France et les autorités éducatives locales. **Une trentaine de pays** a choisi d'intégrer le **DELF scolaire** dans le cursus scolaire secondaire.

▶ En France, le **DELF scolaire** est organisé à l'intention des enfants allophones nouvellement arrivés. Il est régi par un accord passé entre la Direction générale de l'enseignement scolaire (DGESCO) et le Centre international d'études pédagogiques (CIEP).

▶ À l'étranger, comme en France, les candidats au **DELF junior** s'inscrivent individuellement aux épreuves du diplôme, dans un des centres d'examen qui dispensent des cours de langue française (Instituts français, Alliances françaises, centres de langues agréés…).

Aujourd'hui, **100 pays** proposent la passation du **DELF scolaire et junior** et plus de **300 000 candidats** se présentent aux épreuves de ce diplôme.

Le **DELF scolaire et junior** est composé de 4 niveaux indépendants les uns des autres correspondant aux 4 premiers niveaux du *Cadre européen commun de référence pour les langues* (CECRL) : A1, A2, B1 et B2.

Chaque diplôme évalue la capacité à communiquer avec des francophones à travers 4 activités langagières : compréhension de l'oral, compréhension des écrits, production-interaction écrite, production-interaction orale.

À votre avis…

1. Le DELF est un diplôme reconnu…
- ❏ seulement dans votre pays.
- ❏ uniquement dans les pays où on parle français.
- ❏ dans le monde entier.

2. Le DELF est valable combien de temps ?
- ❏ 1 an.   ❏ Seulement pendant la scolarité.   ❏ Toute la vie.

3. Est-ce que vous devez avoir le DELF A1 pour passer le DELF A2 ?   ❏ Oui.   ❏ Non.

Qu'est-ce que le niveau A2 ?

Au niveau A2, vous pouvez…
- comprendre quand on vous parle lentement en français ;
- parler de votre famille, de votre école, de vos loisirs ;
- faire des propositions, vous mettre d'accord avec quelqu'un, communiquer de façon simple dans la vie quotidienne ;
- expliquer pourquoi vous aimez quelque chose ou non.

Observez le diplôme du DELF (recto)

1. Que signifie DELF ?..

2. Quelles informations sont présentes ? (Plusieurs réponses possibles.)

☐ **a.** Le niveau du DELF.
☐ **b.** Le nom et le prénom du candidat.
☐ **c.** L'âge du candidat.
☐ **d.** La date de naissance du candidat.
☐ **e.** La ville et le pays de naissance du candidat.
☐ **f.** La nationalité du candidat.
☐ **g.** La note que le candidat a obtenue à son DELF.
☐ **h.** Le numéro du candidat.
☐ **i.** La date et le lieu de passation des épreuves du DELF.

> À part le numéro du candidat, ce sont les informations que vous donnez au moment de votre inscription, faites donc bien attention à les écrire correctement !

Observez le diplôme du DELF (verso)

RELEVÉ DE RÉSULTATS

Nom et prénom : ADELINA LESSY
Nationalité : CANADIENNE
Date et lieu de naissance : 09/12/2002
N° de candidat : 686001-000308

Conformément aux dispositions de l'arrêté du 7 juillet 2005, le titulaire de ce diplôme a subi avec succès les épreuves constitutives du diplôme d'études en langue française niveau A2, avec les résultats suivants :

session : 2013-11-J   centre d'examen : Tarawa-Sud (Canada)

ÉCRIT	Production	note 23,50 / 25	
	Compréhension	note : 25,00 / 25	
ORAL	Production	note : 24,50 / 25	
	Compréhension	note : 22,00 / 25	NOTE FINALE : **95,00 / 100**

Le DELF niveau A2 est délivré à tout candidat ayant obtenu une moyenne minimale de 50 points à l'ensemble des épreuves, avec un minimum de 5 sur 25 dans chaque épreuve.

Le DELF et le DALF comportent sept niveaux. Les compétences évaluées pour chaque niveau correspondent à celles décrites par le *Cadre européen commun de référence pour les langues :*
- DELF A1.1, A1 et A2 : utilisateur élémentaire
- DELF B1 et B2 : utilisateur indépendant
- DALF C1 et C2 : utilisateur expérimenté

n° de diplôme : 686001-000308-2207101

1. Il y a combien de notes ?   ☐ 3   ☐ 4   ☐ 5

2. Les 4 premières notes sont sur combien de points ? ....

3. Quelle est la note finale du candidat ? ....

4. Il faut avoir combien de points pour obtenir le diplôme ? ....

5. Vrai ou faux ?

		Vrai	Faux
a.	J'ai une note de 5/25 : je ne peux pas obtenir mon diplôme.	❏	❏
b.	J'ai une note de 4/25 : je ne peux pas obtenir mon diplôme.	❏	❏
c.	Je dois avoir plus de 50 points pour obtenir mon diplôme.	❏	❏
d.	J'ai 50 points : j'ai mon diplôme.	❏	❏

Observez la 1re page des épreuves du DELF

Nature des épreuves	Durée	Note sur
ÉPREUVES COLLECTIVES		
Compréhension de l'oral Réponse à des questionnaires de compréhension portant sur trois ou quatre courts documents enregistrés ayant trait à des situations de la vie quotidienne. (2 écoutes) Durée maximale des documents : 5 minutes	25 minutes environ	... / 25
Compréhension des écrits Réponse à des questionnaires de compréhension portant sur trois ou quatre courts documents écrits ayant trait à des situations de la vie quotidienne.	30 minutes	... / 25
Production écrite Rédaction de 2 brèves productions écrites (lettre amicale ou message) ❖ décrire un événement ou des expériences personnelles ❖ écrire pour inviter, remercier, s'excuser, demander, informer, féliciter...	45 minutes	... / 25
ÉPREUVE INDIVIDUELLE		
Production orale Épreuve en trois parties ❖ entretien dirigé ❖ monologue suivi ❖ exercice en interaction	6 à 8 minutes *préparation : 10 minutes*	... / 25

Seuil de réussite pour obtenir le diplôme : 50 / 100
Note minimale requise par épreuve : 5 / 25
Durée totale des épreuves collectives : 1 heure 40 minutes

NOTE TOTALE :	... / 100

Code candidat ▶ ❏❏❏❏❏❏ - ❏❏❏❏❏❏

Volet à rabattre pour préserver l'anonymat du candidat

• Nom : ....   • Prénom : ....

1. Dans les épreuves collectives (c'est-à-dire, quand tous les candidats sont dans une même salle d'examen), il y a... (Plusieurs réponses possibles.)

❏ **a.** la compréhension de l'oral.   ❏ **c.** la compréhension des écrits.
❏ **b.** la production orale.   ❏ **d.** la production écrite.

2. Les épreuves collectives durent...

❏ 10 minutes. ❏ 45 minutes. ❏ 1 h 40.

3. Qu'est-ce que l'épreuve individuelle ? ....

Les épreuves collectives

▶ 01 1. Regardez la vidéo et associez chaque mot ou groupe de mots à une photo.

a. un crayon à papier ....
b. une feuille de brouillon ....
c. une gomme ....
d. une convocation ....
e. une feuille d'émargement ....
f. un numéro du candidat ....

g. un sujet d'examen/le livret ....
h. un surveillant ....
i. le nom ....
j. le prénom ....
k. signer ....
l. un stylo ....

▶ 02 2. Regardez la vidéo sans le son puis remettez les étapes suivantes dans l'ordre.

Étapes	N°
a. Le surveillant distribue le sujet d'examen.	....
b. Les candidats entrent dans la salle d'examen.	....
c. Les candidats rendent au surveillant leur sujet d'épreuves collectives.	....
d. Les candidats signent la feuille d'émargement.	....
e. Les candidats sortent de quoi écrire et déposent leur sac près du bureau du surveillant.	....
f. Les élèves regardent la liste des candidats affichée sur la porte d'une salle d'examen.	....
g. Un candidat écrit son nom, son prénom et son numéro de candidat sur le sujet d'examen.	....

▶ 02 3. Regardez la vidéo avec le son puis complétez les tableaux suivants.

Type d'épreuves	Durée
a. Compréhension de l'oral	....
b. Compréhension des écrits	....
c. Production écrite	....

Pendant les épreuves	OUI	NON
a. Je peux demander un stylo à un candidat.	❏	❏
b. Je dois rester silencieux pendant toute l'épreuve.	❏	❏
c. Sur ma table, je peux avoir un dictionnaire.	❏	❏
d. Je peux écrire sur mon sujet d'examen avec un crayon à papier.	❏	❏
e. Je peux sortir de la classe une heure après le début des épreuves.	❏	❏

Compréhension **de l'oral**

Compréhension **de l'oral** _ **Je découvre**

1. **Observez le document de la page 7 et répondez aux questions.**

1. L'épreuve de compréhension de l'oral fait partie...

❏ des épreuves collectives.
❏ des épreuves individuelles.

2. Combien de temps dure l'épreuve de compréhension de l'oral ?

❏ 5 minutes.
❏ 6 à 8 minutes.
❏ 25 minutes environ.

🎧 02 **2.** **Lisez le document puis écoutez.**
Associez chaque document sonore à un type d'exercices.

La compréhension de l'oral est composée de 4 exercices différents :

Exercice 1 : comprendre une annonce et des instructions orales.

Exercice 2 : comprendre un message sur un répondeur/une messagerie téléphonique.

Exercice 3 : comprendre une émission de radio.

Exercice 4 : comprendre une discussion entre locuteurs natifs.

Document 1 ●   ● **a.** Une annonce et des instructions orales
Document 2 ●   ● **b.** Un message sur un répondeur/une messagerie téléphonique
Document 3 ●   ● **c.** Une émission de radio
Document 4 ●   ● **d.** Une discussion entre locuteurs natifs

🎧 03 **3.** **Lisez et écoutez la consigne suivante puis répondez aux questions.**

Vous allez entendre 4 enregistrements, correspondant à 4 documents différents.
Pour chaque document, vous aurez :
– 30 secondes pour lire les questions ;
– une première écoute, puis 30 secondes de pause pour commencer à répondre aux questions ;
– une seconde écoute, puis 30 secondes de pause pour compléter vos réponses.
Pour répondre aux questions, cochez (☒) la bonne réponse ou écrivez l'information demandée.

1. Vous allez écouter…

- ❏ 2 documents audio.
- ❏ 3 documents audio.
- ❏ 4 documents audio.

2. Mettez dans l'ordre des étapes suivantes :

N°

a. Écouter une première fois le document sonore. ....

b. Écouter une seconde fois le document sonore. ....

c. Répondre aux questions. ....

d. Lire les questions. ....

e. Compléter ses réponses. ....

> **Attention ! Lors de l'examen, seules les réponses rédigées au stylo seront corrigées.**
>
> **Soignez votre écriture : vos réponses doivent être compréhensibles pour le professeur qui corrige !**

3. Vous écoutez chaque document audio…

- ❏ 1 fois.
- ❏ 2 fois.
- ❏ 3 fois.

Avec vous pour réussir le DELF !

**Tout au long de cet ouvrage, vous serez accompagné(e)
dans votre préparation au DELF grâce à :**

▨ une **découverte** détaillée de chaque compétence

▨ des **activités guidées** et progressives pour bien comprendre les exercices du diplôme

▨ des **conseils**, des **astuces** ou des **renvois** vers le **lexique** ou les **actes de paroles** au fil des **200 activités**

▨ des **évaluations** à la fin de chaque compétence pour identifier vos points forts ou ceux à améliorer

▨ des **épreuves blanches** à la fin de l'ouvrage et sur le DVD-ROM pour s'entraîner aux conditions réelles de l'examen

▨ des **vidéos de présentation** des épreuves collectives ▶ **07** et de l'épreuve individuelle ▶ **08** pour être prêt(e) le jour J !

A. Comprendre une annonce

/ 5 points

Dans ce 1er exercice, vous allez écouter une annonce diffusée dans un lieu public (gare, aéroport, magasin…). Vous devez ensuite répondre à 5 questions de compréhension.
Pour répondre à ces questions, vous devez :
– écrire une information (un chiffre, un horaire, un mot, une phrase courte) ;
– cocher ⊠ la réponse correcte parmi 3 propositions (attention, il y a toujours **1 seule bonne réponse !**)

🎧 04 **1.** **Lisez les questions. Écoutez le document puis répondez. Vous voyagez en France. Dans le train, vous entendez cette annonce du contrôleur.**

> Lisez bien les questions avant d'écouter le document. Elles permettent de comprendre le thème du document et vous aident à trouver les informations dans le document audio pour répondre aux questions.

1. Le contrôleur fait une annonce parce que… ▷ ..... / 1 point

❑ votre voyage est presque fini.
❑ le train est arrêté sur les voies.
❑ son collègue va vérifier les billets.

> Vous devez cocher (⊠) une seule case ! Si vous cochez 2 cases, vous aurez 0 point.
>
> Si vous voulez changer votre réponse, écrivez ou cochez votre nouvelle réponse et entourez-la :
>
> ⊠ jeudi.
> ❑ vendredi.
> ⊠ samedi.

2. D'après le contrôleur, vous devez… ▷ ..... / 1 point

❑ A   ❑ B   ❑ C

3. Vous voyagez avec combien de minutes de retard ? ▷ ..... / 1 point

.... minutes.

> Vous pouvez écrire la réponse en chiffres ou en lettres.

4. Vous arrivez à Marseille à quelle heure ? ▷ ..... / 1 point

❑ A   ❑ B   ❑ C

> Observez bien les horloges : seules les minutes sont différentes. Qu'est-ce que vous entendez ?

5. Le train en correspondance
pour Nice est à quelle heure ? ▷ ..... / 1 point

....

> Vous n'êtes pas obligé(e) d'écrire une phrase complète. Vous pouvez simplement écrire le bon horaire en chiffres ou en lettres.

🎧 05 **2.** **Lisez les questions. Écoutez le document puis répondez. Vous voyagez en France. Dans le train, vous entendez l'annonce du contrôleur.**

C'est parti !

1. **Le contrôleur informe les voyageurs...** ▷ ..... / 1 point

❏ que le train va arriver en retard.
❏ qu'il y a des travaux dans la gare.
❏ que votre voyage est presque terminé.

2. **Le train arrive en gare de Caen à quelle heure précise ?** ▷ ..... / 1 point

....

3. **Avant de descendre du train, vous devez faire attention à quoi ?** ▷ ..... / 1 point

❏ A   ❏ B   ❏ C

4. **Le contrôleur conseille de prendre quelle sortie ?** ▷ ..... / 1 point

❏ A   ❏ B   ❏ C

5. **À la fin de son annonce, que souhaite le contrôleur aux passagers ?** ▷ ..... / 1 point

....

06 **3.** **Lisez les questions. Écoutez le document puis répondez.**
Vous êtes dans le métro à Toulouse, vous entendez ce message

1. En ce moment, qu'est-ce qu'il y a à la station de métro Capitole ? ▷ ..... / 1 point

❏ A   ❏ B   ❏ C

2. Sur la ligne A, le métro ne circule pas. À quel endroit précisément ? ▷ ..... / 1 point

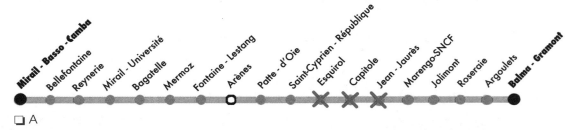

❏ A

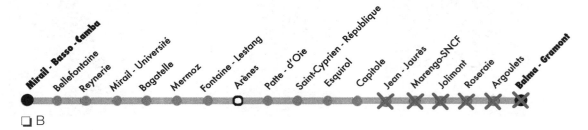

❏ B

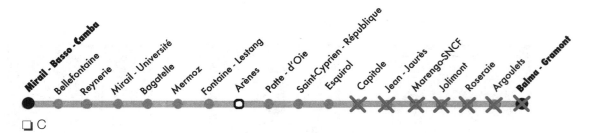

❏ C

3. Les problèmes de circulation sur la ligne A vont durer jusqu'au mois de... ▷ ..... / 1 point

....

4. De quelle couleur sont les bus de remplacement ? ▷ ..... / 1 point

....

5. Il est possible... ▷ ..... / 1 point

❏ d'acheter un ticket dans le bus.
❏ d'utiliser son ticket de métro dans le bus.
❏ de n'avoir aucun ticket pour prendre le bus.

🎧 07 **4. Lisez les questions. Écoutez le document puis répondez. Vous êtes à l'aéroport de Bruxelles-Charleroi. Vous entendez cette annonce.**

1. Cette annonce concerne les voyageurs du vol numéro... ▷ ..... / 1 point

❏ FR6318.
❏ FR6328.
❏ FR6338.

2. Quel est le numéro de la porte
d'embarquement du vol pour Marseille-Provence ? ▷ ..... / 1 point

....

3. La porte d'embarquement du vol pour Marseille est située où ? ▷ ..... / 1 point

Terminal A Rez-de-chaussée	Terminal B 1er étage	Terminal C 2e étage
❏ A	❏ B	❏ C

4. Pour faciliter l'embarquement, qu'est-ce que
les passagers doivent faire ? (Deux réponses attendues.) ▷ ..... / 1 point

a. ....

b. ....

5. Quel type de bagage doit être laissé à l'entrée de l'avion ? ▷ ..... / 1 point

❏ A ❏ B ❏ C

🎧 08 **5.** **Lisez les questions. Écoutez le document puis répondez.**
Vous entendez cette annonce dans un magasin multimédia en France.

1. Le magasin propose des réductions de prix à quelle occasion ?   ▷ ...../ 1 point

....

2. La réduction de 50 % est pour les articles
signalés par un point de quelle couleur ?   ▷ ...../ 1 point

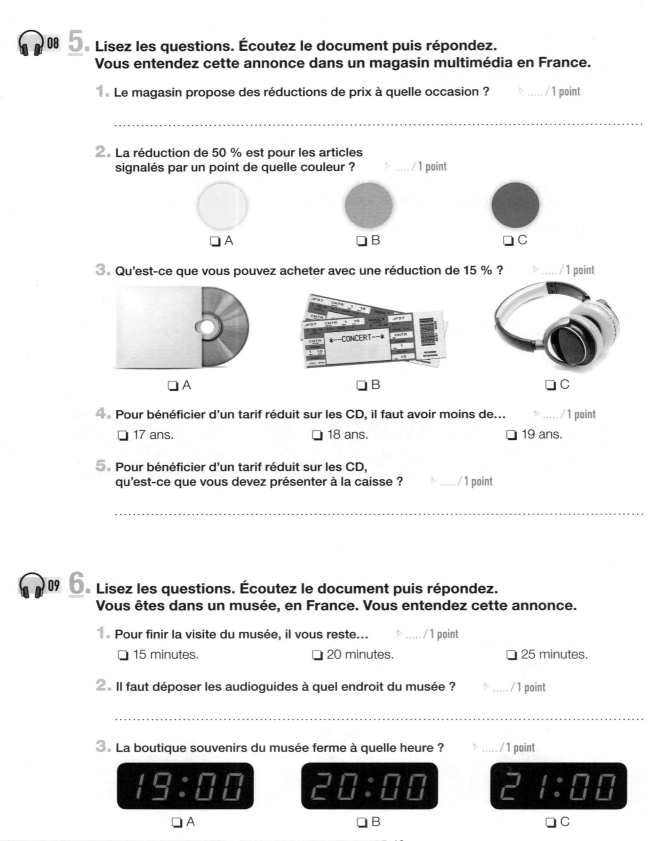

❑ A   ❑ B   ❑ C

3. Qu'est-ce que vous pouvez acheter avec une réduction de 15 % ?   ▷ ...../ 1 point

❑ A   ❑ B   ❑ C

4. Pour bénéficier d'un tarif réduit sur les CD, il faut avoir moins de...   ▷ ...../ 1 point

❑ 17 ans.   ❑ 18 ans.   ❑ 19 ans.

5. Pour bénéficier d'un tarif réduit sur les CD,
qu'est-ce que vous devez présenter à la caisse ?   ▷ ...../ 1 point

....

🎧 09 **6.** **Lisez les questions. Écoutez le document puis répondez.**
Vous êtes dans un musée, en France. Vous entendez cette annonce.

1. Pour finir la visite du musée, il vous reste...   ▷ ...../ 1 point

❑ 15 minutes.   ❑ 20 minutes.   ❑ 25 minutes.

2. Il faut déposer les audioguides à quel endroit du musée ?   ▷ ...../ 1 point

....

3. La boutique souvenirs du musée ferme à quelle heure ?   ▷ ...../ 1 point

`19:00`   `20:00`   `21:00`

❑ A   ❑ B   ❑ C

4. Qu'est-ce qui permet d'avoir une réduction de 5 % ? ..... / 1 point

....

5. La réduction de 5 % est valable sur quel achat ? ..... / 1 point

❏ A   ❏ B   ❏ C

🎧 10 **7.** **Lisez les questions. Écoutez le document puis répondez.**
Vous êtes à l'opéra de Nice. Vous entendez cette annonce.

1. Ce soir, le spectacle est...   ..... / 1 point

....

2. Quel est le problème ?   ..... / 1 point

La chanteuse est ....

3. D'après l'annonce vous pouvez être remboursé(e)...   ..... / 1 point

❏ ce soir.
❏ demain.
❏ le mois prochain.

4. Pour échanger votre billet, que devez-vous faire ?   ..... / 1 point

❏ A   ❏ B   ❏ C

5. Où peut-on trouver le formulaire ? ▷ ...../ 1 point

❏ A ❏ B ❏ C

🎧 11 **8.** **Lisez les questions. Écoutez le document puis répondez. Vous êtes dans un grand magasin en Belgique. Vous entendez cette annonce.**

1. Il reste combien de temps pour profiter de l'offre exceptionnelle du magasin ? ▷ ...../ 1 point

....

2. L'offre exceptionnelle concerne... ▷ ...../ 1 point

❏ A ❏ B ❏ C

3. Pour bénéficier de l'offre exceptionnelle, quel doit être votre mois de naissance ? ▷ ...../ 1 point

❏ Septembre. ❏ Novembre. ❏ Décembre.

4. Que devez-vous présenter à la caisse du magasin pour bénéficier de l'offre exceptionnelle ? ▷ ...../ 1 point

❏ A ❏ B ❏ C

5. L'offre exceptionnelle est une réduction de :   ▷ ..... /1 point

.... %.

🎧 12 **9.** **Lisez les questions. Écoutez le document puis répondez. Vous êtes en vacances avec vos parents en Guadeloupe. Vous entendez cette annonce.**

1. Au bar de l'hôtel, on peut boire des jus de quel fruit ?   ▷ ..... / 1 point

❏ A   ❏ B   ❏ C

2. Où se trouve le bar de l'hôtel ?   ▷ ..... / 1 point

....

3. Les jeunes peuvent pratiquer des activités...   ▷ ..... /1 point
  ❏ seulement le matin.
  ❏ seulement l'après-midi.
  ❏ toute la journée.

4. À l'hôtel, il est possible de pratiquer quel sport ?   ▷ ..... / 1 point

❏ A   ❏ B   ❏ C

5. Pendant les activités organisées pour les jeunes, qu'est-ce que les parents peuvent faire, d'après l'annonce ? (Plusieurs réponses possibles, une seule attendue.)   ▷ ..... / 1 point

....

13 **10.** **Lisez les questions. Écoutez le document puis répondez.**
Vous êtes à l'école en France, vous entendez cette annonce :

1. La fête de fin d'année a lieu… ▷ ...../ 1 point

❑ jeudi.
❑ vendredi.
❑ samedi.

2. La fête va se passer où dans l'école ? ▷ ...../ 1 point

....

3. Qu'est-ce qu'il y a en début de soirée ? ▷ ...../ 1 point

❑ A ❑ B ❑ C

4. Qu'est-ce que Léa va faire à partir de 22 heures ? ▷ ...../ 1 point

....

5. Pour la fête, vous devez apporter… ▷ ...../ 1 point

  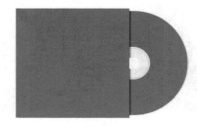

❑ A ❑ B ❑ C

11. **Lisez les questions. Écoutez le document puis répondez. Vous êtes dans un parc d'attractions en France. Vous entendez cette annonce.**

1. L'annonce s'adresse au propriétaire de quel moyen de transport ? ..... / 1 point

❏ A ❏ B ❏ C

2. La personne concernée par l'annonce
doit se présenter à quel endroit du parc ? ..... / 1 point

....

3. Les clients peuvent garer leur vélo... ..... / 1 point

 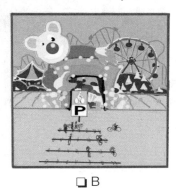 

❏ A ❏ B ❏ C

4. Le parking du parc est fermé... ..... / 1 point
  ❏ le lundi.
  ❏ le mardi.
  ❏ le dimanche.

5. Combien coûte l'entrée du parking ? ..... / 1 point

....

15 **12.** **Lisez les questions. Écoutez le document puis répondez.**
Vous êtes dans une galerie commerciale en Belgique francophone,
vous entendez ce message.

1. Un atelier d'écriture est organisé à quelle occasion ? ▷ ..... / 1 point

....

2. **La Plume est...** ▷ ..... / 1 point
❑ le titre d'un livre.
❑ le nom d'une librairie.
❑ le thème d'un atelier d'écriture.

3. **Où est le rendez-vous ?** ▷ ..... / 1 point

❑ A   ❑ B   ❑ C

4. **Le lieu de rendez-vous se trouve à quel étage du centre commercial ?** ▷ ..... / 1 point

....

5. **Les participants à l'atelier d'écriture reçoivent...** ▷ ..... / 1 point

❑ A   ❑ B   ❑ C

Partie

B. Comprendre un message sur répondeur

/ 6 points

Dans ce 2ᵉ exercice, vous allez écouter un message laissé sur votre boîte vocale.
Vous devez ensuite répondre à 6 questions de compréhension.
Pour répondre à ces questions, vous devez :
– écrire une information (un chiffre, un numéro de téléphone, un horaire, un mot, une phrase courte) ;
– cocher ☒ la réponse correcte parmi 3 propositions (attention, il y a toujours **1 seule bonne réponse !**)

🎧 16 **1.** **Lisez les questions. Écoutez le document puis répondez.**
Vous entendez ce message sur votre répondeur téléphonique.

C'est parti !

1. Samedi, Pierre vous invite à quel match ? ⊳ ..... / 1 point

....

2. Vous allez au stade comment ? ⊳ ..... / 1 point

....

3. Qui vient avec vous ? ⊳ ..... / 1 point

❏ Le père de Pierre.
❏ Le frère de Pierre.
❏ Le cousin de Pierre.

> N'oubliez pas de bien lire les questions avant d'écouter le document : elles aident à comprendre quel est le thème du document et quelles informations vous devez donner dans les réponses.

4. Avant d'aller au stade, vous avez rendez-vous avec Pierre où ? ⊳ ..... / 1 point

....

5. Votre rendez-vous avec Pierre est à quelle heure ? ⊳ ..... / 1 point

❏ 14 heures.
❏ 15 heures.
❏ 16 heures.

6. Qu'est-ce que Pierre veut acheter avant le match ? ⊳ ..... / 1 point

❏ A   ❏ B   ❏ C

17 **2.** Lisez les questions. Écoutez le document puis répondez. Vous entendez ce message sur votre répondeur téléphonique.

1. Pourquoi Julie vous appelle ? ▷ ..... / 1 point

❑ Elle était absente, hier, en classe…

❑ Elle veut savoir quels sont les devoirs… …de mathématiques.

❑ Elle vous propose de faire ensemble des exercices…

2. Julie vous demande de… ▷ ..... / 1 point

❑ l'appeler.

❑ lui écrire un mail.

❑ lui envoyer un SMS.

3. Vendredi après-midi, Julie vous propose d'aller où ? ▷ ..... / 1 point

❑ A ❑ B ❑ C

4. Avec Julie vous devez préparer un exposé dans quelle matière scolaire ? ▷ ..... / 1 point

....

5. Julie vous donne rendez-vous où ? ▷ ..... / 1 point

....

6. À la fin de son message, qu'est-ce que Julie vous demande de faire ? ▷ ..... / 1 point

....

 18 **3.** Lisez les questions. Écoutez le document puis répondez. Vous entendez ce message sur votre répondeur téléphonique.

1. Pour Kévin, hier, le cours de théâtre était comment ? ▷ ..... / 1 point

....

2. Qu'est-ce que vous devez apporter au prochain cours de théâtre ? ▷ ..... / 1 point

❏ A   ❏ B   ❏ C

3. Pour le spectacle, pourquoi vous devez vous habiller en noir et blanc ? ▷ ..... / 1 point

....

4. Quelle est la date du spectacle ? ▷ ..... / 1 point

....

5. Hier, Marc était... ▷ ..... / 1 point

❏ malade.   ❏ en vacances.   ❏ au cours de théâtre.

6. Kévin vous demande... ▷ ..... / 1 point

❏ d'écrire...
❏ de téléphoner...   ... à Marc.
❏ de rendre visite...

🎧 19 **4.** Lisez les questions. Écoutez le document puis répondez.
Vous entendez ce message sur votre répondeur téléphonique.

1. Samedi Sophie vous invite à passer la soirée... ▷ ..... / 1 point

❏ chez elle.   ❏ chez des copines.   ❏ chez sa sœur.

2. Sophie organise quel genre de soirée ? ▷ ..... / 1 point

....

3. Samedi soir, quelles personnes vont aussi être présentes ? ▷ ..... / 1 point

❏ Les sœurs...
❏ Les parents...   ... de Sophie.
❏ Les copines...

4. Pour manger, qu'est-ce que Sophie va préparer ? ▷ ..... / 1 point

....

5. Sophie vous demande d'apporter... ▷ ...../ 1 point

❏ A   ❏ B   ❏ C

6. Sophie vous donne rendez-vous à quelle heure ? ▷ ...../ 1 point

....

🎧 20 **5.** **Lisez les questions. Écoutez le document puis répondez.**
Vous entendez ce message sur votre répondeur téléphonique.

1. Vendredi soir, au collège, il y a quel événement ? ▷ ...../ 1 point

....

2. Le professeur de physique-chimie pense
que l'événement de vendredi soir va être... ▷ ...../ 1 point

❏ utile.   ❏ compliqué.   ❏ intéressant.

3. Pendant l'événement, il est possible de réaliser... ▷ ...../ 1 point

❏ des exercices de physique.
❏ des expériences de chimie.
❏ des dessins sur l'astronomie.

4. Jérémy veut suivre quel cours ? ▷ ...../ 1 point

❏ A   ❏ B   ❏ C

5. Pour participer à l'événement de vendredi,
les parents doivent payer combien ? ▷ ..... / 1 point

....

6. L'événement commence à quelle heure ? ▷ ..... / 1 point

....

🎧 21 **6.** **Lisez les questions. Écoutez le document puis répondez.**
Vous entendez ce message sur votre répondeur téléphonique.

1. Florine a retrouvé chez elle votre cahier de... ▷ ..... / 1 point

❏ français. ❏ musique. ❏ mathématiques.

2. Florine a retrouvé votre cahier dans quelle pièce de sa maison ? ▷ ..... / 1 point

❏ A ❏ B ❏ C

3. Pour récupérer votre cahier, Florine vous propose... ▷ ..... / 1 point

❏ de venir chez elle.
❏ de vous l'apporter chez vous.
❏ de la retrouver à son cours de danse.

4. Le cours de danse de Florine finit à quelle heure ? ▷ ..... / 1 point

....

5. Qu'est-ce que vous devez faire à 13 heures ? ▷ ..... / 1 point

....

6. Florine habite près de quel arrêt de bus ? ▷ ..... / 1 point

....

🎧 22 **7.** **Lisez les questions. Écoutez le document puis répondez.**
Vous entendez ce message sur votre répondeur téléphonique.

1. Vincent vous propose d'aller à la piscine quel jour ? ⊳ ...../ 1 point

....

2. Qui vient à la piscine avec Vincent et vous ? ⊳ ...../ 1 point
- ❏ Sa mère.
- ❏ Son père.
- ❏ Son frère.

3. Combien coûte l'entrée pour les élèves ? ⊳ ...../ 1 point

....

4. Qu'est-ce que vous devez penser à prendre ? ⊳ ...../ 1 point

....

5. Vincent vous propose d'aller à la piscine comment ? ⊳ ...../ 1 point

❏ A   ❏ B   ❏ C

6. À quelle heure est-ce que vous devez être prêt(e) dimanche ? ⊳ ...../ 1 point
- ❏ 14 h 30.
- ❏ 15 h 30.
- ❏ 16 h 30.

🎧 23 **8.** **Lisez les questions. Écoutez le document puis répondez.**
Vous entendez ce message sur votre répondeur téléphonique.

1. Que fait la sœur de Géraldine mardi soir ?   ▷ ..... / 1 point
- ❏ Elle donne un cours de musique.
- ❏ Elle fait un spectacle de musique.
- ❏ Elle passe un examen de musique.

2. La sœur de Géraldine joue de quel instrument ?   ▷ ..... / 1 point

❏ A   ❏ B   ❏ C

3. La sœur de Géraldine se sent comment ?   ▷ ..... / 1 point

....

4. Géraldine vous propose...   ▷ ..... / 1 point
- ❏ de venir chez elle.
- ❏ d'aller voir sa sœur.
- ❏ de manger au restaurant.

5. Qu'est-ce que les élèves de l'école de musique organisent mardi soir ?   ▷ ..... / 1 point

....

6. Qu'est-ce que vous devez faire ce soir avant 20 heures ?   ▷ ..... / 1 point

....

🎧 24 **9.** **Lisez les questions. Écoutez le document puis répondez.**
Vous entendez ce message sur votre répondeur téléphonique.

1. Jeudi, Noémie veut faire une surprise au professeur...   ▷ ..... / 1 point
- ❏ de latin.   ❏ d'anglais.   ❏ de français.

2. Noémie pense faire sa surprise jeudi à quelle heure ? ⊳ ..... / 1 point

❑ 8 heures.　　　❑ 10 heures.　　　❑ 16 heures.

3. Qu'est-ce que Noémie propose de faire
quand le professeur entre dans la classe ? ⊳ ..... / 1 point

....

4. Pour la surprise, qu'est-ce que Sophie va préparer ? ⊳ ..... / 1 point

....

5. Pour la surprise, qu'est-ce que Noémie va apporter en classe ? ⊳ ..... / 1 point

❑ A　　　　　　　　❑ B　　　　　　　　❑ C

6. Jeudi, Noémie espère que le professeur va oublier quoi ? ⊳ ..... / 1 point

....

🎧 25 **10.** Lisez les questions. Écoutez le document puis répondez.
Vous entendez ce message sur votre répondeur téléphonique.

1. Où va Mathéo la semaine prochaine ? ⊳ ..... / 1 point

❑ A　　　　　　　　❑ B　　　　　　　　❑ C

2. Qui est allergique aux chats ?   ▷ ..... / 1 point
- ❏ Mathéo.
- ❏ Les parents de Mathéo.
- ❏ La grand-mère de Mathéo.

3. Quel service vous demande Mathéo ?   ▷ ..... / 1 point

....

4. Mathéo est absent pendant combien de temps ?   ▷ ..... / 1 point

....

5. Mathéo veut passer chez vous vendredi, à quelle heure ?   ▷ ..... / 1 point
- ❏ 17 heures.
- ❏ 18 heures.
- ❏ 19 heures.

6. Pour vous remercier, qu'est-ce que
Mathéo veut vous offrir à son retour ?   ▷ ..... / 1 point

....

🎧 26 **11.** **Lisez les questions. Écoutez le document puis répondez.**
Vous entendez ce message sur votre répondeur téléphonique.

1. Mathilde vous propose de faire du shopping quand ?   ▷ ..... / 1 point

....

2. Que doit acheter Mathilde pour le mariage de sa sœur ?   ▷ ..... / 1 point

❏ A   ❏ B   ❏ C

3. Quel commerce est nouveau dans la grande galerie du centre-ville ?   ▷ ..... / 1 point
- ❏ Une crêperie.
- ❏ Une pâtisserie.
- ❏ Une boulangerie.

4. Vous devez retrouver Mathilde à quelle heure samedi ? ▷ ..... / 1 point

....

5. Où est votre rendez-vous ? ▷ ..... / 1 point

....

6. Pour donner votre réponse à Mathilde qu'est-ce que vous devez faire ? ▷ ..... / 1 point

❏ Lui téléphoner. ❏ Lui écrire un e-mail. ❏ Lui envoyer un SMS.

🎧 27 **12.** **Lisez les questions. Écoutez le document puis répondez.**
Vous entendez ce message sur votre répondeur téléphonique.

1. Marc pratique quel sport ? ▷ ..... / 1 point

❏ A ❏ B ❏ C

2. La compétition de Marc a lieu quelle date ? ▷ ..... / 1 point

....

3. La compétition commence à quelle heure ? ▷ ..... / 1 point

❏ 17 heures. ❏ 18 heures. ❏ 19 heures.

4. Où a lieu la compétition ? ▷ ..... / 1 point

....

5. Marc passe à quel moment de la compétition ? ▷ ..... / 1 point

....

6. Qu'est-ce que Marc espère ? ▷ ..... / 1 point

....

C. Comprendre une émission de radio   / 6 points

Dans ce 3e exercice, vous allez écouter une émission de radio (chronique, bulletin d'information, interview…). Vous devez ensuite répondre à 6 questions de compréhension. Pour répondre à ces questions, vous devez :
– écrire une information (un chiffre, un numéro de téléphone, un horaire, un mot, une phrase courte) ;
– cocher ☒ la réponse correcte parmi 3 propositions (attention, il y a toujours **1 seule bonne réponse !**)

 28 **1.** **Lisez les questions. Écoutez le document puis répondez. Vous entendez cette émission à la radio française.**

C'est parti !

1. L'émission commence par…   ▷ ..... / 1 point
- ❏ une question.
- ❏ une explication.
- ❏ une information.

2. D'après l'émission, quelles pièces de monnaie européenne ont disparu ?   ▷ ..... / 1 point

 ❏ A    ❏ B   ❏ C

3. Combien de pièces de monnaie ont disparu ?   ▷ ..... / 1 point
- ❏ Huit millions.
- ❏ Un milliard.
- ❏ Huit milliards.

4. Gabriel a cherché les pièces de monnaie pendant combien de temps ?   ▷ ..... / 1 point

....

5. Gabriel cherchait les pièces de monnaie dans quels endroits de la ville ?   ▷ ..... / 1 point
- ❏ Les fontaines.
- ❏ Les boulangeries.
- ❏ Les stations de métro.

6. Avec ses pièces de monnaie, qu'est-ce que Gabriel a acheté ?   ▷ ..... / 1 point

....

29 **2.** Lisez les questions. Écoutez le document puis répondez.
Vous entendez cette émission à la radio française.

1. Quel est l'autre métier d'Hélène en plus de présentatrice à la télévision ? ▷ ...../ 1 point

....

2. Hélène avait quel animal quand elle était adolescente ? ▷ ...../ 1 point

❏ A ❏ B ❏ C

3. Que regardaient Hélène et sa copine le samedi après-midi ? ▷ ...../ 1 point
  ❏ Des livres sur les animaux.
  ❏ Des poissons dans un aquarium.
  ❏ Des émissions sur les vétérinaires.

4. Quand elle était petite, Hélène voulait devenir... ▷ ...../ 1 point
  ❏ vétérinaire.
  ❏ boulangère.
  ❏ présentatrice.

5. À quel âge Hélène a changé d'avis au sujet de son futur métier ? ▷ ...../ 1 point

....

6. À l'école, Hélène adorait quelle matière ? ▷ ...../ 1 point

....

 30 **3.** Lisez les questions. Écoutez le document puis répondez.
Vous entendez cette émission à la radio française.

1. Quel est le titre de l'émission ? ▷ ...../ 1 point

....

2. Eddy joue de quel instrument ? ▷ ...../ 1 point

....

3. Eddy a eu son premier instrument de musique à quelle occasion ? ▷ ...../ 1 point
   ❏ À Noël.
   ❏ Pour son anniversaire.
   ❏ Quand il est entré au collège.

4. Eddy a fait son premier concert où ? ▷ ...../ 1 point

....

5. En classe, Eddy... ▷ ...../ 1 point
   ❏ faisait des bêtises.   ❏ travaillait beaucoup.   ❏ chantait tout le temps.

6. Quand il était ado, comment était Eddy ? ▷ ...../ 1 point

❏ A   ❏ B   ❏ C

🎧 31 **4.** **Lisez les questions. Écoutez le document puis répondez.**
Vous entendez cette information à la radio française.

1. La SNCF veut créer des billets de train... ▷ ...../ 1 point
   ❏ moins laids.   ❏ moins chers.   ❏ moins grands.

2. Qui peut participer au concours organisé par la SNCF ? ▷ ...../ 1 point
   ❏ Toutes les écoles.
   ❏ Les lycéens seulement.
   ❏ Les collégiens seulement.

3. Quel est le thème du concours ? ▷ ...../ 1 point

....

4. Les nouveaux billets vont être vendus à partir de quel mois ? ▷ ...../ 1 point

....

5. Pourquoi Samia est-elle contente de participer au concours de la SNCF ? ⊳ ..... / **1 point**
(Plusieurs réponses possibles, une seule attendue.)

....

6. Qu'est-ce que Samia veut décorer avec les futurs billets de train ? ⊳ ..... / **1 point**

❏ A

❏ B

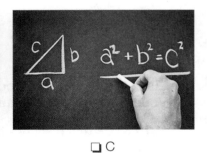
❏ C

🎧 32 **5.** **Lisez les questions. Écoutez le document puis répondez.**
Vous entendez cette émission à la radio française.

1. Fabrice enseignait quelle matière ? ⊳ ..... / **1 point**

❏ A   ❏ B   ❏ C

2. *Une année au lycée* est le titre... ⊳ ..... / **1 point**

❏ d'un film.   ❏ d'un dessin animé.   ❏ d'une bande dessinée.

3. D'après l'animateur radio, *Une année au lycée*... ⊳ ..... / **1 point**
❏ est peu connue du public.
❏ est mal comprise du public.
❏ est très appréciée du public.

4. D'après l'animateur radio, comment sont
les personnages d'*Une année au lycée* ? ⊳ ..... / **1 point**

....

5. Pourquoi les élèves d'*Une année au lycée*
détestent leur professeur de mathématiques ?   ▷ ..... / 1 point

....

6. Qu'est-ce que l'équipe de l'émission de radio a beaucoup aimé ?   ▷ ..... / 1 point

....

🎧 33 **6.** **Lisez les questions. Écoutez le document puis répondez.**
Vous entendez cette émission à la radio française.

1. Quel est le sujet d'actualité de cette émission ?   ▷ ..... / 1 point
- ❏ Économiser l'énergie.
- ❏ Réduire sa consommation d'eau.
- ❏ Avoir de bonnes habitudes écologiques.

2. Quel âge a Basile ?   ▷ ..... / 1 point

....

3. Les compétitions de Basile ont lieu dans quelle pièce de la maison ?   ▷ ..... / 1 point

❏ A   ❏ B   ❏ C

4. La sœur de Basile perd souvent les compétitions à cause de...   ▷ ..... / 1 point

....

5. Basile va bientôt commencer quel autre type de compétition ?   ▷ ..... / 1 point

....

6. Les parents de Basile sont contents de ces compétitions car...   ▷ ..... / 1 point
- ❏ ils peuvent y participer.
- ❏ ils économisent de l'argent.
- ❏ ils découvrent des pratiques écologiques.

🎧 34 **7.** **Lisez les questions. Écoutez le document puis répondez.**
Vous entendez cette émission à la radio française.

1. Dans l'émission, Salomé raconte un voyage avec… ▷ ..... / 1 point

❏ ses amis. ❏ sa famille. ❏ sa classe.

2. Le voyage de Salomé a duré combien de temps ? ▷ ..... / 1 point

....

3. Qu'est-ce que Salomé a été obligée de faire pendant son voyage ? ▷ ..... / 1 point

....

4. Quel animal Salomé a pu caresser pendant son voyage ? ▷ ..... / 1 point

❏ A ❏ B ❏ C

5. Pour Salomé le voyage était… ▷ ..... / 1 point

❏ trop court. ❏ très fatigant. ❏ un peu ennuyeux.

6. Qu'est-ce que Salomé a préféré de son voyage ? ▷ ..... / 1 point

....

🎧 35 **8.** **Lisez les questions. Écoutez le document puis répondez.**
Vous entendez cette émission à la radio française.

1. Radio Ado parle d'une pratique qui existe dans des entreprises en… ▷ ..... / 1 point

❏ France. ❏ Amérique. ❏ Afrique.

2. Si la pratique présentée dans l'émission se fait dans
les collèges, qu'est-ce qu'on affiche à l'entrée ? ▷ ..... / 1 point

❏ Le nom…
❏ La photo …   … du meilleur élève.
❏ Les notes…

3. Que pense Élise de la pratique présentée dans l'émission ?   ▷ ..... / 1 point

....

4. D'après Élise, la pratique présentée dans l'émission
va donner envie aux élèves d'avoir quoi ?   ▷ ..... / 1 point

....

5. Pour Florent, la pratique présentée dans l'émission est...   ▷ ..... / 1 point

....

6. D'après Florent, les élèves qui ne sont pas d'accord avec
la pratique présentée dans l'émission vont dessiner quoi ?   ▷ ..... / 1 point

❏ A   ❏ B   ❏ C

🎧 36 **9.** **Lisez les questions. Écoutez le document puis répondez.**
Vous entendez cette émission à la radio française.

1. Pour Tristan, il est important d'avoir quel style de vêtement ?   ▷ ..... / 1 point

....

2. Pour Tristan avoir un style c'est montrer...   ▷ ..... / 1 point
❏ qu'on existe.
❏ qu'on aime la mode.
❏ qu'on est intéressant.

3. Que porte Tristan aujourd'hui ?   ▷ ..... / **1 point**

❏ A   ❏ B   ❏ C

4. Comment Tristan a trouvé son pantalon ?   ▷ ..... / **1 point**

❏ Il l'a trouvé dans la rue.

❏ Il appartenait à son cousin.

❏ Il était en solde dans un magasin de vieux vêtements.

5. D'après Tristan, tout le monde s'habille de
la même façon parce que tout le monde…   ▷ ..... / **1 point**

....

6. Plus tard, Tristan aimerait faire quel métier ?   ▷ ..... / **1 point**

....

🎧 37 **10.** Lisez les questions. Écoutez le document puis répondez.
Vous entendez cette émission à la radio française.

1. Sophie voulait offrir un cadeau original à…   ▷ ..... / **1 point**

❏ sa mère.   ❏ son frère.   ❏ une amie.

2. Qui a eu l'idée du cadeau ?   ▷ ..... / **1 point**

....

3. Sophie a participé à quel atelier pour jeunes ?   ▷ ..... / **1 point**

....

4. Qui animait l'atelier que Sophie a suivi ? ▷ ..... / 1 point

....

5. Le père de Sophie a participé au cadeau de quelle façon ? ▷ ..... / 1 point
   ❏ Il a acheté un beau dessert.
   ❏ Il a préparé une partie du dîner.
   ❏ Il a fait les courses avec Sophie.

6. Qu'est-ce que Sophie a préparé pour le dîner ? ▷ ..... / 1 point

❏ A   ❏ B   ❏ C

🎧 38 **11.** **Lisez les questions. Écoutez le document puis répondez. Vous entendez cette émission à la radio française.**

   1. Qu'est-ce que Juliette et sa classe voulaient présenter aux collégiens de la Martinique ? ▷ ..... / 1 point

....

   2. Pour Juliette et sa classe, qu'est-ce qu'il était interdit d'utiliser ? ▷ ..... / 1 point

....

   3. Qu'est-ce qu'il y avait dans la valise envoyée ? ▷ ..... / 1 point

❏ A   ❏ B   ❏ C

   4. Juliette et sa classe ont attendu une réponse des collégiens martiniquais pendant combien de temps ? ▷ ..... / 1 point
      ❏ 15 jours.   ❏ 5 semaines.   ❏ 5 mois.

5. Quand Juliette et sa classe ont reçu la valise, quelle a été leur réaction ?   ▷ ..... / 1 point

....

6. Pour découvrir une ville, Juliette préfère...   ▷ ..... / 1 point
- ❏ surfer sur Internet.
- ❏ aller dans un musée.
- ❏ recevoir une valise d'objets.

🎧 39 **12.** **Lisez les questions. Écoutez le document puis répondez.**
Vous entendez cette émission à la radio française.

1. L'émission parle d'un sondage qui a été
réalisé auprès de combien d'adolescents ?   ▷ ..... / 1 point

- ❏ 1 005.   ❏ 1 015.   ❏ 1 105.

2. D'après le sondage, les adolescents de
12 à 15 ans considèrent que le sport est...   ▷ ..... / 1 point
- ❏ mieux que les jeux vidéo.
- ❏ aussi intéressant que la lecture.
- ❏ moins amusant que la télévision.

3. Les jeunes se passionnent pour combien de sports en moyenne ?   ▷ ..... / 1 point

....

4. D'après le sondage, quel est le sport le plus pratiqué ?   ▷ ..... / 1 point

❏ A   ❏ B   ❏ C

5. D'après le sondage, les filles pratiquent surtout quel sport collectif ?   ▷ ..... / 1 point

....

6. Les adolescents pratiquent des sports
plus individuels à partir de quel âge ?   ▷ ..... / 1 point

....

Partie

D. Comprendre une conversation   / 8 points

Dans ce 4ᵉ exercice, vous allez écouter 4 petits dialogues à la suite.
Vous devez ensuite associer chaque dialogue à une des situations proposées.

Lisez et écoutez la consigne de l'exercice et répondez aux questions.

🎧 40 Vous allez entendre 2 fois 4 dialogues, correspondant à 4 situations différentes. Lisez les
situations. Écoutez le document puis reliez chaque dialogue à la situation correspondante.

1. Dans cet exercice, vous allez écouter…

❑ 2 documents audio.   ❑ 3 documents audio.   ❑ 4 documents audio.

2. Vous écoutez les documents audio…

❑ 2 fois.   ❑ 3 fois.   ❑ 4 fois.

3. Les documents audio de cet exercice sont…

❑ des dialogues.   ❑ des annonces à la radio.   ❑ des messages sur répondeur.

4. Pour faire l'exercice vous devez…

1- La fête de fin d'année a lieu
❑ Jeudi
☒ Vendredi
❑ Samedi

.Dialogue1   .Décrire un objet
.Dialogue2   .Demander une information
.Dialogue3   .nter elq'un r une rtie
.Dialogue4

14.07.

❑ A   ❑ B   ❑ C

🎧 41 **1.** **Vous êtes dans une famille d'accueil en Suisse. Vous entendez ces conversations. Écoutez et reliez le dialogue à la situation correspondante.**

1. Avant d'écouter les 4 dialogues, lisez bien les 4 situations.

2. Quand vous allez écouter les dialogues, il n'est pas nécessaire de comprendre tous les mots : essayez d'avoir une compréhension globale de la situation. L'intonation peut aussi vous aider !

■ Situations

Dialogue 1 ● → ● **a.** Demander de l'aide.
Dialogue 2 ● ● **b.** Offrir quelque chose.
Dialogue 3 ● ● **c.** Refuser quelque chose.
Dialogue 4 ● ● **d.** Se mettre d'accord.

3. Observez la première association et terminez l'exercice.

⯈ ..... /8 points

2. Vous êtes dans une famille d'accueil en France. Vous entendez ces conversations. Écoutez et reliez le dialogue à la situation correspondante.

Dialogue 1 ●　　　　　　　　　● **a.** Décrire un objet.

Dialogue 2 ●　　　　　　　　　● **b.** Demander une information.

Dialogue 3 ●　　　　　　　　　● **c.** Présenter quelqu'un.

Dialogue 4 ●　　　　　　　　　● **d.** Proposer une sortie.　　▷ ..... / **8 points**

 3. Vous êtes dans une salle d'attente chez un médecin en France. Vous entendez ces conversations. Écoutez et reliez le dialogue à la situation correspondante.

Dialogue 1 ●　　　　　　　　　● **a.** Décrire son travail.

Dialogue 2 ●　　　　　　　　　● **b.** Donner une opinion.

Dialogue 3 ●　　　　　　　　　● **c.** Poser des questions.

Dialogue 4 ●　　　　　　　　　● **d.** Raconter des vacances.　　▷ ..... / **8 points**

 4. Vous allez prendre un train en France. Vous entendez ces conversations. Écoutez et reliez le dialogue à la situation correspondante.

Dialogue 1 ●　　　　　　　　　● **a.** Demander une aide.

Dialogue 2 ●　　　　　　　　　● **b.** Expliquer un itinéraire.

Dialogue 3 ●　　　　　　　　　● **c.** Inviter quelqu'un.

Dialogue 4 ●　　　　　　　　　● **d.** Remercier quelqu'un.　　▷ ..... / **8 points**

 5. Vous êtes dans une famille d'accueil en France. Vous entendez ces conversations. Écoutez et reliez le dialogue à la situation correspondante.

Dialogue 1 ●　　　　　　　　　● **a.** Décrire un logement.

Dialogue 2 ●　　　　　　　　　● **b.** Demander un service.

Dialogue 3 ●　　　　　　　　　● **c.** Proposer une aide.

Dialogue 4 ●　　　　　　　　　● **d.** Raconter un film.　　▷ ..... / **8 points**

 6. Vous êtes à l'école à Marseille. Vous entendez ces conversations. Écoutez et reliez le dialogue à la situation correspondante.

Dialogue 1 ●　　　　　　　　　● **a.** Attirer l'attention.

Dialogue 2 ●　　　　　　　　　● **b.** Donner des indications.

Dialogue 3 ●　　　　　　　　　● **c.** Demander une information.

Dialogue 4 ●　　　　　　　　　● **d.** Refuser une invitation.　　▷ ..... / **8 points**

🎧 47 **7.** Vous êtes dans un supermarché en France. Vous entendez ces conversations. Écoutez et reliez le dialogue à la situation correspondante.

Dialogue 1 ●	● a. Proposer de l'aide.
Dialogue 2 ●	● b. Indiquer un endroit.
Dialogue 3 ●	● c. Donner un ordre.
Dialogue 4 ●	● d. Demander un prix. ⊳ ...../8 points

🎧 48 **8.** Vous êtes à la poste à Lyon. Vous entendez ces conversations. Écoutez et reliez le dialogue à la situation correspondante.

Dialogue 1 ●	● a. Demander un service.
Dialogue 2 ●	● b. Donner une explication.
Dialogue 3 ●	● c. Exprimer son désaccord.
Dialogue 4 ●	● d. Fixer un rendez-vous. ⊳ ...../8 points

🎧 49 **9.** Vous êtes dans une bibliothèque à Bruxelles. Vous entendez ces conversations. Écoutez et reliez le dialogue à la situation correspondante.

Dialogue 1 ●	● a. Décrire un livre.
Dialogue 2 ●	● b. Expliquer un règlement.
Dialogue 3 ●	● c. Expliquer un emplacement.
Dialogue 4 ●	● d. Refuser un prêt. ⊳ ...../8 points

🎧 50 **10.** Vous êtes à l'école en France. Vous entendez ces conversations. Écoutez et reliez le dialogue à la situation correspondante.

Dialogue 1 ●	● a. Fixer un rendez-vous.
Dialogue 2 ●	● b. Inviter quelqu'un.
Dialogue 3 ●	● c. Offrir quelque chose.
Dialogue 4 ●	● d. Raconter un événement. ⊳ ...../8 points

🎧 51 **11.** Vous êtes dans un musée en Suisse. Vous entendez ces conversations. Écoutez et reliez le dialogue à la situation correspondante.

Dialogue 1 ●	● a. Décrire une peinture.
Dialogue 2 ●	● b. Donner des informations.
Dialogue 3 ●	● c. Expliquer un règlement.
Dialogue 4 ●	● d. Proposer quelque chose. ⊳ ...../8 points

🎧 52 **12.** Vous êtes dans la famille d'un ami belge. Vous entendez ces conversations. Écoutez et reliez le dialogue à la situation correspondante.

Dialogue 1 ●	● a. Décrire un objet.
Dialogue 2 ●	● b. Donner un conseil.
Dialogue 3 ●	● c. Demander un service.
Dialogue 4 ●	● d. Proposer de faire une activité. ⊳ ...../8 points

Compréhension **de l'oral** | __ Je m'évalue _____

Pour chaque compétence, cochez le dessin qui vous correspond le mieux.

1. Je comprends des questions simples.

2. Je peux identifier le sujet d'une discussion entre deux locuteurs natifs.

3. Je comprends l'essentiel d'une annonce dans un lieu public.

4. Je comprends les points essentiels d'une émission à la radio.

Vous avez coché tous les dessins de la colonne de droite ?
► Bravo ! Vous êtes un Super A2 en compréhension de l'oral !
► Sinon, refaites les exercices correspondants et, vous aussi, devenez un Super A2 !

Compréhension **des écrits**

Compréhension **des écrits** _Je découvre_

1. **Observez le document de la page 7 et répondez aux questions.**

1. L'épreuve de compréhension des écrits fait partie…
- ❏ des épreuves collectives.
- ❏ des épreuves individuelles.

2. Combien de temps dure l'épreuve de compréhension des écrits ?
- ❏ 25 minutes.
- ❏ 30 minutes.
- ❏ 45 minutes.

3. Dites si les affirmations suivantes sont vraies ou fausses.
Recopiez la phrase du document qui justifie votre réponse.

	Vrai	**Faux**
a. L'épreuve de compréhension des écrits est composée de 4 questionnaires au maximum.	❏	❏

....

	Vrai	**Faux**
b. Les documents à lire sont longs.	❏	❏

....

4. Les documents à lire parlent de situations concernant…
- ❏ la vie de tous les jours.
- ❏ le monde de l'école seulement.
- ❏ la culture et la société française.

2. **Lisez la présentation puis observez les documents de la page suivante. Répondez à la question.**

La compréhension des écrits est la 2e partie des épreuves collectives. Elle est composée de 4 exercices différents :

Exercice 1 : comprendre 5 courts documents (menus, horaires, prospectus, annonces…)

Exercice 2 : comprendre une correspondance (lettre standard, lettre personnelle, courriel, invitation à un anniversaire…)

Exercice 3 : comprendre des instructions simples (mode d'emploi, recette de cuisine, message personnel…)

Exercice 4 : comprendre un court article de journal, une affiche publicitaire ou des informations dans un guide touristique.

> Pour chaque exercice, lisez bien la consigne qui explique ce que vous devez faire. Lisez ensuite le ou les documents puis les questions.

1

> **De :** marion@yahoo.fr
>
> **Objet : mon anni !**
>
> Salut !
> Je t'écris pour t'inviter à mon anniversaire samedi prochain ! J'espère que tu n'as rien prévu ce jour-là ! Je vais organiser une petite fête pour mes 15 ans dans la maison de mes grands-parents. Je vais préparer des gâteaux sucrés et salés. Tu peux apporter des boissons si tu veux. J'ai invité 10 personnes mais chacun peut venir avec un ami.
> On va danser, alors, apporte de la musique si tu veux. Dis-moi si tu viens avant mercredi et avec qui tu viens. Tu peux m'envoyer un texto au 06 44 56 65 77. À bientôt j'espère !
> Bises
> Marion

2

Gâteau au jus d'orange

Il te faut :

120 g de farine
100 g de sucre en poudre
10 g de beurre
20 cl de jus d'orange
2 œufs
½ sachet de levure chimique
1 pincée de sel
1 moule
1 grand bol
1 tasse

Préparation

ÉTAPE 1
Verse le beurre, le sucre, la farine, le jus d'orange, la levure et le sel dans un grand bol. Mélange bien.

ÉTAPE 2
Casse les œufs un par un dans une tasse et ajoute-les à la première préparation et mélange tous les ingrédients avec une cuillère ou un mixeur.

ÉTAPE 3
Verse la préparation dans un moule.

ÉTAPE 4
Mets le moule au four et fais cuire pendant 20 minutes à 180°.

3

Menu du jour

12,50 €

Salade gourmande
Soupe bouillabaisse
≈
Dos de cabillaud
sauce crevettes
Canard aux olives
≈
Fondant au chocolat
Tarte tatin

4

Le 43e festival de la bande dessinée d'Angoulême s'est déroulé du 28 au 31 janvier.

Pour la 1re fois, des auteurs sélectionnés, Riad Sattouf, Joann Sfar et l'américain Daniel Clowes, ont demandé d'enlever leur nom de la liste des nommés au Grand Prix. Pourquoi ? Parce qu'aucune femme n'a été nommée. Depuis 1974, date de la 1re édition du festival, un Grand Prix est attribué à un auteur de BD pour célébrer sa carrière. « Le concept du Grand Prix est de féliciter un auteur pour l'ensemble de son œuvre. Ce sont des artistes qui ont déjà une longue carrière » explique le délégué général du festival, Franck Bondou, dans le quotidien *Le Monde*. « Il y a malheureusement peu de femmes dans l'histoire de la bande dessinée. C'est une réalité. »
Le festival existe depuis 42 ans et seulement 2 femmes ont été honorées par un prix : Claire Bretécher en 1983 pour les 10 ans du festival, donc pas le Grand Prix, puis Florence Cestac en 2000. En 2014, Marjane Satrapi et Posy Simmonds ont fait partie des nommés mais sans être primées.

D'après GéoAdos.com

À quel support ci-dessus appartient chaque type de document ?
À quel exercice de la compréhension des écrits il correspond ?

	Support n°	Exercice n°
a. un article	………	………
b. une recette	………	………
c. un menu	………	………
d. un courriel	………	………

Partie A. Lire pour s'orienter

/ 5 points

Dans ce 1er exercice, vous allez lire 5 petits textes (menus, prospectus, annonces ou panneaux). Vous devez ensuite repérer les informations essentielles puis associer chaque texte à la personne qui convient.

1. Observez l'exercice ci-dessous.
Avant de le réaliser, répondez aux questions des pages 51 et 52.

Vous êtes à Limoges, au restaurant avec votre famille d'accueil. Lisez les menus et dites ce que chacun va prendre en remplissant le tableau qui suit. }■ **A** ....

1
11 €
Assiette de charcuterie
•
Tagliatelles aux légumes
•
Tarte aux pommes

2
15 €
Salade tomates, carottes, maïs
•
Saumon et riz basmati
•
Tarte au chocolat

3
23 €
Tranches de saumon fumé
•
Poisson et légumes cuits vapeur
•
Flan maison

}■ **B** ....

4
13 €
Terrine de pâté de campagne
•
Steak frites
•
Tarte aux fraises

5
20 €
Soupe de légumes de saison
•
Gratin de poisson
•
Salade de fruits

}■ **C** ....

Associez à chaque personne le menu qui correspond à ce qu'elle aime manger. }■ **C** ....

Menu n°

a. La mère adore les salades composées et les desserts au chocolat. ..... 2 .....
b. Le père ne mange pas de viande et adore les fruits en dessert. ....
c. Votre ami adore les pâtes aux légumes et les tartes aux fruits. ....
d. Le frère aime la viande rouge. Il n'aime pas beaucoup les légumes. .... }■ **D** ....
e. La sœur ne mange que du poisson et tout ce qui est cuit à la vapeur.
Elle n'aime pas beaucoup les fruits. ....

» Comprendre l'activité

1. Complétez les encadrés rouges que vous venez d'observer avec les mots :
consigne — documents — réponses — situation.

2. Lisez la consigne et les 5 documents. Comment les menus sont-ils présentés ?

❏ Dessert – plat principal – entrée.

❏ Plat principal – entrée – dessert.

❏ Entrée – plat principal – dessert.

3. Regardez les images. Ces plats sont dans quel menu ?
Écrivez le numéro du menu et le nom du plat correspondant, comme dans l'exemple.

	Nom du plat	N° du menu
A	Tagliatelles aux légumes	1
B		
C		
D		
E		
F		
G		
H		

» Trouver le menu de la mère

1. Dans quel menu
il y a une salade
composée ?

❑ Menu 1

❑ Menu 2

❑ Menu 3

❑ Menu 4

❑ Menu 5

> **Attention !
> Une salade
> composée
> est différente
> d'une salade
> de fruits !**

≠

2. Dans quel menu il y a un dessert au chocolat ?

❑ Menu 1   ❑ Menu 2   ❑ Menu 3   ❑ Menu 4   ❑ Menu 5

3. Quel menu la mère de la famille d'accueil va prendre ?

❑ Menu 1   ❑ Menu 2   ❑ Menu 3   ❑ Menu 4   ❑ Menu 5

» Trouver le menu du père

1. Le père mange de la viande ?

❑ Oui

❑ Non

2. Quels sont les 3 menus qui <u>ne proposent pas</u> de viande ?

❑ Menu 1   ❑ Menu 2   ❑ Menu 3   ❑ Menu 4   ❑ Menu 5

3. Le père mange des fruits ?

❑ Oui

❑ Non

4. On trouve des fruits en dessert dans quels menus ?

❑ Menu 1   ❑ Menu 2   ❑ Menu 3   ❑ Menu 4   ❑ Menu 5

5. Dans quel menu il y a des fruits et pas de viande ?

❑ Menu 1   ❑ Menu 2   ❑ Menu 3   ❑ Menu 4   ❑ Menu 5

6. Quel menu le père de la famille d'accueil va prendre ?

....

» Allez à la page 50 pour terminer l'exercice.

C'est parti !

2. **Vous avez bientôt terminé votre séjour linguistique à Tours. Vous voulez offrir un livre à chacun des 5 membres de votre famille d'accueil. Vous avez sélectionné quelques livres.**

1
Que c'est beau !
Pour bien dessiner, prenez un crayon, du papier et lisez les conseils dans ce joli guide illustré.

2
Avec mon appareil photo
Grâce à cet ouvrage, réussissez toutes vos photos de paysages !

3
AVOIR UN BEAU JARDIN
Voici un livre très pratique avec de belles photos pour savoir comment faire pousser de belles fleurs dans son jardin.

4
400 recettes faciles au quotidien
On peut trouver dans ce petit guide, plein d'idées de bons plats à cuisiner !

5
Histoire du cinéma français
Des origines à nos jours, retrouvez les films francophones les plus populaires.

Quel livre allez-vous offrir aux membres de la famille ? ⊳ ..... / 5 points

a. Jacques adore cuisiner. ....

b. Camille adore les fleurs. ....

c. Roger est un passionné de dessins. ....

d. Francine aime les films francophones. ....

e. Marinette prend beaucoup de photos de paysages. ....

3. **Vous êtes à Lyon avec 5 amis. Vous souhaitez visiter un musée avec eux. Voici votre sélection.**

1
Musée d'art africain
Venez découvrir le continent africain à travers plus de 8 000 objets d'art présents dans ce magnifique musée.

2
Institut Lumière
Retrouvez dans ce musée l'histoire mondiale du cinéma.

3
Musée des confluences
Musée d'histoire naturelle et des sociétés, c'est le lieu idéal pour une promenade à travers les différentes époques de l'histoire.

4
La sucrière
Ancienne usine de sucre, la Sucrière est aujourd'hui un lieu d'exposition d'art contemporain.

5
Musée Gadagne
À travers le regard d'un historien, d'un artiste, d'un architecte ou d'un habitant, explorez la ville de Lyon.

Quel musée correspond aux goûts de chacun de vos amis ? ⊳ ..... / 5 points

a. Stéphane adore le monde du cinéma. ....

b. Antonio aime les œuvres contemporaines. ....

c. Patricia aime beaucoup les sculptures africaines. ....

d. Giacomo aimerait mieux connaître la ville de Lyon. ....

e. Caroline s'intéresse à l'histoire des hommes et de l'environnement. ....

4. Ce week-end, c'est la fête du cinéma à Nantes. Vous regardez le programme des films à voir avec vos amis.

1. HAUTE TENSION

Marie pensait pouvoir réviser tranquillement ses cours dans la maison de sa meilleure amie. Mais, pendant la nuit, elle entend des cris horribles…

2. ma première fois

Pour son premier film, la cinéaste parle de la question du premier amour à travers l'histoire passionnée entre Zachary et Sarah.

3. PROFS

Cette comédie adolescente raconte le quotidien mouvementé d'un lycée où se trouvent les plus mauvais professeurs et les plus mauvais élèves. Vous allez rire !

4. Enfants valises

Les « enfants valises » sont de jeunes étrangers venus en France avec ou sans leur famille. Le réalisateur les a rencontrés et filmés au lycée.

5. Respire

Ce drame raconte l'amitié entre Charlie et Sarah, une amitié qui va devenir dangereuse. Vous risquez de pleurer…

Qu'allez-vous proposer à chacun de vos amis ? ▷ ..... / **5 points**

a. Franck aime avoir peur. ....

b. Johanne adore les films tristes. ....

c. Ludivine aime les films comiques. ....

d. Lucie adore les histoires d'amour. ....

e. Stéphane aime les documentaires sur l'actualité. ....

5. Vous étudiez à Nancy. Du 19 au 23 novembre a lieu le Salon des métiers. Vous voulez y aller avec vos amis. Sur le site www.letudiant.fr, vous lisez les annonces suivantes.

1. Le secteur de l'informatique offre une grande variété de métiers. Le 19 novembre, découvrez les métiers de l'informatique et de l'électronique.

2. À l'hôpital, en clinique ou à domicile, ils soignent des patients de tous âges. Découvrez les métiers de la santé le 20 novembre.

3. Pour découvrir les métiers de l'hôtellerie-restauration et rencontrer des professionnels, rendez-vous le 21 novembre au Salon des formations tourisme & hôtellerie-restauration !

4. Les métiers de l'industrie automobile sont nombreux, pour venir les découvrir, venez rencontrer des professionnels le 22 novembre.

5. Le 23 novembre : rencontre avec un designer de mode qui crée une collection de vêtements, dessine les modèles et choisit les tissus.

Qu'allez-vous proposer à chacun de vos amis ? ▷ ..... / **5 points**

a. Hélène rêve de devenir médecin. ....

b. Lisa aime dessiner des vêtements. ....

c. John passe ses journées sur son ordinateur. ....

d. Émilie aide son père à réparer les scooters et voitures. ....

e. Marcelo aimerait devenir serveur dans un grand restaurant. ....

6. **Vous êtes à Bruxelles pour plusieurs mois. Avec des amis, vous souhaitez vous inscrire à une des activités de loisirs proposées par la Maison des jeunes.**

1 **Vous voulez jouer d'un instrument de musique ?**
Nous proposons différents cours à différents niveaux. Pour connaître les jours et horaires des cours par instrument, écrivez-nous à musique@maisondesjeunes.be

2 Vous souhaitez participer à un concours de chant à la télévision ? **Venez vous préparer avec des professionnels de la chanson francophone.**

3 Vous **aimez** les couleurs, les **crayons**, les pinceaux **?**
Vous voulez améliorer votre technique artistique ? Nos ateliers de dessin et de peinture vous accueillent tous les samedis matin.

4 Le club sportif du quartier vous propose :
– les mardis et jeudis soirs : cours de basket-ball.
– les mercredis et vendredis soirs : cours de volley-ball.
Inscription à l'accueil de la Maison des jeunes.

5 Venez bouger votre corps sur des rythmes latinos !
Salsa, meringue, bachata mais aussi cha-cha-cha et tango. Mercredi, à partir de 17 heures.

Quelle activité allez-vous proposer à chacun de vos amis ? ▷ ..... / 5 points

a. Romain aime peindre et dessiner. ....

b. Zohra aimerait faire des cours de danse. ....

c. Frédérique veut pratiquer un sport d'équipe. ....

d. Roselyne a une belle voix, elle chante très bien. ....

e. Thomas aimerait apprendre à jouer de la guitare. ....

7. **Vous étudiez à La Rochelle. Votre école organise des sorties pédagogiques, le matin, tous les premiers mardis du mois. Voici le programme :**

1 Comment fait-on le pain ?
Visite de la boulangerie du domaine de Plan (fabrication du pain) puis dégustation de viennoiseries.

2 Tous à la ferme !
Visite de la ferme du bonheur et de ses champs de maïs. Mettez des bottes en caoutchouc.

3 Classe de forêt.
Visite guidée pour découvrir le milieu forestier (les arbres et les plantes). Apporter de bonnes chaussures de marche.

4 Découverte d'un des plus grands aquariums de France.
Aquariums thématiques et expositions sur les profondeurs pour tout connaître sur les océans !

5 Nettoyage de la plage.
Quiz avec des questions sur le poids des déchets en France puis tri des déchets.

Quelle sortie correspond aux goûts de chacun de vos amis ? ▷ ..... / 5 points

a. Amélie s'intéresse à l'agriculture. ....

b. Julien adore les croissants et les pains au chocolat. ....

c. Michel s'intéresse à la protection de l'environnement. ....

d. Adeline adore se promener dans la nature. ....

e. Sidonie est une passionnée de la vie aquatique. ....

8. **Vous êtes à Paris. Avec des amis, vous aimeriez faire partie d'une association bénévole. Voici les annonces des associations qui recherchent des personnes volontaires :**

1 Aidez les bénévoles des Vestiboutiques à recueillir des vêtements pour les offrir aux personnes qui n'ont pas d'argent pour s'en acheter.

2 Pour son équipe jeunesse, la Croix-Rouge française de Paris 15ᵉ recrute des jeunes âgés de 14 à 18 ans pour rendre visite à des personnes âgées.

3 Entraide scolaire amicale recherche des bénévoles pour accompagner des enfants de 5-7 ans dans leur scolarité. Laissez-nous vos coordonnées, nous vous contacterons.

4 Organise des actions pour informer les jeunes dans ton établissement scolaire sur les Droits de l'Enfant et l'action de l'UNICEF en France et dans le monde.

5 Banque alimentaire. Chaque dernier week-end du mois de novembre, participez à la collecte d'aliments devant les supermarchés.

Quelle association correspond aux envies de chacun de vos amis ? ▷ ..... / 5 points

a. Judith rêve de devenir professeur pour jeunes enfants. ....

b. Maxime veut rassembler de la nourriture à distribuer. ....

c. Véra souhaiterait tenir compagnie à de vieilles personnes. ....

d. Jasmine aimerait travailler dans une boutique de vêtements. ....

e. Filibert est très actif dans son école, il aime donner des informations importantes. ....

9. **Vous arrivez à la fin de votre séjour à Pau. Pour remercier vos amis de leur accueil, vous décidez de leur offrir un magazine qui corresponde à leurs intérêts.**

1 Le magazine **Ballet 2 000** permet de découvrir et de se tenir au courant de l'actualité de la danse dans le monde.

2 **Comment ça marche ?** De supers articles pour tout comprendre : les phénomènes de la nature et les innovations technologiques !

3 Dans le magazine *Les dossiers de l'actualité*, lisez des articles clairs et précis pour enrichir votre culture générale.

4 **Virgule**, magazine consacré à l'écriture en français et à la littérature pour les jeunes de 10 à 15 ans !

5 Des reportages sur des ados vivant à l'autre bout du monde, des informations sur la planète... Avec **GÉO**Ado, on découvre le monde !

Quel magazine correspond aux intérêts de chacun de vos amis ? ▷ ..... / 5 points

a. Pascal aime les sciences. ....

b. Jonathan adore les voyages. ....

c. Alice prend des cours de danse classique. ....

d. Camille veut perfectionner son français pour écrire un roman. ....

e. Valérie s'intéresse beaucoup à l'actualité nationale et internationale. ....

10. **Vous étudiez à Brest. Pour la fin de l'année scolaire, vous participez à l'organisation d'un spectacle. Voici les petites annonces qui correspondent aux différentes parties du spectacle :**

1 Vous aimez et savez danser des danses modernes ? Nous recherchons 2 filles et 2 garçons pour participer à notre spectacle.

2 Nous aimerions constituer un groupe de 15 personnes pour chanter des chansons anciennes et actuelles. Attention, vous devez bien chanter !

3 Dans notre groupe, nous avons un chanteur et des musiciens mais il nous manque un batteur ! **C'est urgent !**

4 *Pour jouer un extrait de la pièce Cyrano de Bergerac, nous recherchons un comédien. Si vous connaissez cette pièce de théâtre, c'est encore mieux !*

5 Savez-vous faire disparaître des objets, ou faire apparaître un lapin dans votre chapeau ? Nous recherchons un magicien pour commencer le spectacle !

Écrivez le numéro du spectacle qui correspond à chacun de vos amis. ⊳ ...... / 5 points

a. Joachim joue de la batterie.   ....

b. Gatien est danseur de hip-hop.   ....

c. Bénédicte chante dans une chorale.   ....

d. Esther fait du théâtre tous les samedis.   ....

e. Gaspard connaît quelques tours de magie.   ....

11. **Vous êtes à Paris avec des amis. Vous regardez ensemble un site Internet qui propose des activités culturelles pour le week-end. Chacun exprime ses goûts.**

1 **Fête du cinéma** 3 € la place de cinéma dans toutes les salles. Ce week-end seulement !

2 **Journée sans voiture à Paris** Rendez-vous vendredi soir à 21 h 45 en face de la gare Montparnasse pour un parcours en rollers.

3 *Cyrano de Bergerac* Dimanche à 14 heures au Théâtre Michel à Paris. De 10 à 23 € la place.

4 **Dîner croisière** Notre bateau vous offre une vue unique sur les monuments parisiens. Samedi à 19 h 45. De 39 à 49 €.

5 **« M. & Mme Rêve »** Ne ratez pas samedi à 20 h 30 au Grand Rex à Paris, ce fabuleux spectacle de danse. De 19 à 83 €.

Écrivez le numéro de l'activité qui correspond à chacun de vos amis. ⊳ ...... / 5 points

a. Laura aimerait voir une pièce de théâtre.   ....

b. Sophie aime les promenades en groupe, organisées dans Paris.   ....

c. Émilie rêve d'être danseuse et aimerait voir un ballet contemporain.   ....

d. Martin est fan de films d'action et adore voir ces films sur grand écran. ....

e. Rémi veut découvrir des monuments de Paris et la gastronomie française. ....

12. **Vous êtes en France pour une année. Un nouveau centre sportif vient d'ouvrir dans votre quartier. Voici les différentes activités sportives proposées.**

1 Anneaux, barres parallèles, barre fixe, cheval-d'arçons, réalisez des mouvements acrobatiques en pratiquant la GAM (gymnastique artistique masculine). Des compétitions sont à prévoir.

2 *En duo ou en solo, participez au prochain stage de danse de salon et apprenez la rumba, la valse ou le rock acrobatique.*

3 **Vous souhaitez faire partie d'une équipe de joueurs du sport le plus pratiqué au monde ?** Nos prochains entraînements de football sont mardi, au stade Bellegarde.

4 **Besoin de prendre de la hauteur ?** Venez pratiquer l'escalade sur notre mur de 10 mètres. Un sport complet pour le corps et l'esprit.

5 Mélange de gymnastique, de danse et de natation, pratiquez la natation synchronisée à la piscine Bellegarde, le mercredi à partir de 19 heures.

Écrivez le numéro de l'activité qui correspond à chacun de vos amis. ▷ ..... / **5 points**

a. Richard adore les sports collectifs. Il joue déjà au basket et aimerait
changer de sport. ....

b. Charlotte n'a pas peur d'être en hauteur et aime la concentration mentale. ....

c. Justine aime danser et nager. Elle veut pratiquer ces deux sports
en même temps. ....

d. Charles aimerait faire une activité sportive acrobatique et participer
à des championnats. ....

e. Élise aime la danse mais déteste nager. ....

B. Lire une correspondance

/ 6 points

Dans ce 2e exercice, vous allez lire un message (lettre, courriel, carte postale…).
Vous devez ensuite répondre à 5 questions de compréhension.
Pour répondre à ces questions, vous devez :
– écrire une information (un chiffre, un numéro de téléphone, un horaire, un mot, une phrase courte) ;
– cocher ☒ la réponse correcte parmi 3 propositions (attention, il y a toujours 1 seule bonne réponse !)

1. Vous avez reçu ce courriel d'une amie.

> **De :** ludivine2002@gmail.com

> **Objet : Bientôt en vacances et stage de danse !**

> *Salut !*
> *Je suis super contente ! Samedi, je pars en vacances chez mes cousins. Je vais faire un stage de danse. Ça commence lundi.*
> *Tous les jours, je vais danser de 9 heures à 16 heures. Je vais être fatiguée mais, après 16 heures, je vais aller retrouver mes cousins à la plage.*
> *Heureusement, je n'ai pas de devoirs à faire pour le collège ! Tu en as toi ? Vendredi, je vais faire un spectacle. Mes cousins vont prendre des photos.*
> *On peut se voir dimanche, à mon retour ? Je veux absolument te raconter mes vacances. Réponds-moi !*
> *Bisous*
> *Ludivine*

» Comprendre le document

1. Comment s'appelle l'amie qui a écrit ce courriel ?

....

2. Cette amie a écrit un courriel pour…
(Plusieurs réponses possibles.)

❏ **a.** prendre de vos nouvelles.
❏ **b.** vous raconter ses dernières vacances.
❏ **c.** vous inviter à passer les vacances avec elle.
❏ **d.** vous annoncer qu'elle va partir en vacances.
❏ **e.** vous annoncer qu'elle va faire un stage de danse.
❏ **f.** vous proposer de participer à un stage de danse.
❏ **g.** vous inviter à un spectacle de danse.
❏ **h.** vous demander les devoirs à faire pour le collège.
❏ **i.** vous rencontrer dimanche.

3. D'après son courriel, qu'est-ce que votre amie fait à ces différents moments ?
Complétez le tableau suivant :

a. Samedi prochain : ....

b. Lundi prochain : ....

c. Tous les jours de la semaine prochaine de 9 à 16 heures : ....
....

d. Tous les jours de la semaine prochaine après 16 heures : ....
....

e. Vendredi prochain : ....

f. Dimanche prochain : ....

» **Répondre aux 5 questions DELF**

1. **Samedi Ludivine...** ▷ ..... / **1 point**

❏ va se baigner.
❏ part en vacances.
❏ commence un stage de danse.

2. **Tous les jours, à partir de 9 heures, Ludivine va...** ▷ ..... / **1,5 point**

....

3. **Qu'est-ce que Ludivine va faire après 16 heures ?** ▷ ..... / **1 point**

❏ Elle va se reposer.
❏ Elle va aller à la plage.
❏ Elle va faire ses devoirs.

4. **Le dernier jour de son stage, Ludivine va...** ▷ ..... / **1 point**

❏ faire ses devoirs.
❏ prendre des photos.
❏ participer à un spectacle.

5. **Ludivine propose de vous voir à son retour parce qu'elle veut...** ▷ ..... / **1,5 point**

....

C'est parti !

2. Vous recevez cet e-mail.

De : noemie@yahoo.fr

Objet : **devoirs**

Salut !
Je n'ai pas pu venir au collège aujourd'hui parce que je suis malade. Je vais revenir lundi en cours.
Est-ce que tu pourrais passer chez moi ce week-end pour me montrer les cours d'aujourd'hui ? J'espère que vous n'avez pas trop travaillé et que les profs ne vont pas faire de tests lundi !
Je ne vais pas faire de sport pendant au moins une semaine, c'est dommage parce que mercredi, il y a le match de basket ! Mais bon, l'équipe peut gagner sans moi !
Appelle-moi demain matin, s'il te plaît ! Merci.
Gros bisous,
Noémie

Répondez aux questions.

1. Pourquoi Noémie vous écrit-elle ? ▷ ..... / 1 point

❏ Elle a un problème de santé.
❏ Elle a oublié de faire ses devoirs.
❏ Elle est arrivée en retard au collège.

2. Lundi, Noémie va… ▷ ..... / 1 point

❏ faire ses devoirs.
❏ retourner à l'école.
❏ aller au match de basket.

3. Lundi, Noémie a peur… ▷ ..... / 1 point

❏ d'être fatiguée.
❏ d'avoir des tests en classe.
❏ d'être obligée de faire du sport.

4. Mercredi, Noémie ne va pas pouvoir participer au… ▷ ..... / 1,5 point

....

5. Demain matin, vous devez… ▷ ..... / 1,5 point

....

Compréhension **des écrits** — **Je m'entraîne**

Vous recevez cet e-mail.

> **De :** gildasettoi@yahoo.fr

> **Objet : Anniversaire de Julien**

> *Salut !*
> *Comme promis, je t'écris pour te raconter l'anniversaire de Julien, samedi dernier. C'était génial ! Il y avait 16 personnes en tout. La fête a commencé vers 19 heures et on a fini vers minuit.*
> *Au début de la soirée, il y avait un DJ. Il a passé de la musique horrible ! Mais il y avait une bonne ambiance.*
> *Julien a eu plein de cadeaux. Ses parents lui ont offert une magnifique guitare !*
> *Vers 22 heures, ses cousins sont arrivés. Ils sont plus âgés que nous mais ils sont sympas. Ils ont un groupe de rock donc ils ont fait un petit concert. Ils ont vraiment très bien joué.*
> *Allez, à plus !*
> *Gildas*

Répondez aux questions.

1. Gildas trouve que l'anniversaire de Julien était...   ▷ ...../ 1,5 point

....

2. Combien de personnes étaient à la fête de Julien ?   ▷ ...../ 1 point
   ❑ 16.
   ❑ 19.
   ❑ 22.

3. La fête s'est terminée vers...   ▷ ...../ 1,5 point

....

4. Au début de la soirée, Gildas...   ▷ ...../ 1 point
   ❑ a adoré la musique.
   ❑ a peu apprécié la musique.
   ❑ a trouvé que ça manquait de musique.

5. Gildas pense que les cousins de Julien sont...   ▷ ...../ 1 point
   ❑ de très bons musiciens.
   ❑ des gens peu sympathiques.
   ❑ trop vieux pour venir à sa fête.

4. Vous recevez cet e-mail.

De : coralinecabrioles@hotmail.com

Objet : ce week-end !

Salut !
C'est confirmé : ma tante nous attend ce week-end chez elle, à la campagne !
On va y faire plein de choses : des randonnées à cheval, à pied... La ville n'est pas très loin, on peut aussi aller visiter des musées. J'aimerais surtout faire des randonnées, mais pas à cheval, je préfère marcher.
Pense à prendre de bonnes chaussures de marche ! Je peux te prêter une veste chaude. On va se préparer des pique-niques, ça va être génial !
On va chez ma tante en voiture, donc samedi, tu peux nous attendre devant l'école et on passe te prendre à 11 heures. On doit arriver avant 13 heures car à 14 heures ma tante doit s'absenter.
Allez viens !
Bises
Coraline

Répondez aux questions.

1. Coraline vous invite à passer le week-end à... ⊳ ..... / 1,5 point

....

2. Pendant le week-end, quelle activité principale Coraline propose de faire ? ⊳ ..... / 1 point
   ❑ Des balades à cheval.
   ❑ Des visites de musées.
   ❑ Des promenades à pied.

3. Coraline vous demande d'apporter... ⊳ ..... / 1 point
   ❑ un pique-nique.
   ❑ une veste chaude.
   ❑ des chaussures de marche.

4. Samedi, votre point de rendez-vous se trouve... ⊳ ..... / 1,5 point

....

5. Samedi, vous devez retrouver Coraline et ses parents à quelle heure ? ⊳ ..... / 1 point
   ❑ 11 heures.
   ❑ 13 heures.
   ❑ 14 heures.

5. **Vous recevez cet e-mail.**

> **De :** fabien13@gmail.com

> **Objet :** invitation !

> *Salut !*
> *Je pars en vacances au Portugal dimanche prochain. Avant, j'aimerais fêter mes 16 ans.*
> *Est-ce que tu peux venir samedi ? Tu peux venir avec ton frère si tu veux. Après,*
> *vous pouvez rester dormir à la maison tous les deux, on a un nouveau canapé-lit dans*
> *le salon.*
> *Je vais faire une soirée dans le garage de mes parents. Mon grand frère veut bien mettre de*
> *la musique pour qu'on danse. Avec mon père, on va préparer des salades et des gâteaux.*
> *Donne-moi ta réponse avant jeudi, s'il te plaît !*
> *Bises*
> *Fabien*

Répondez aux questions.

1. Samedi, Fabien...   ⊳ ..... / 1 point

- ❏ fête son anniversaire.
- ❏ part en vacances au Portugal.
- ❏ vous invite à faire des gâteaux.

2. Fabien veut organiser une soirée dans...   ⊳ ..... / 1 point

- ❏ le salon de sa maison.
- ❏ le garage de ses parents.
- ❏ la chambre de son grand frère.

3. Pendant la soirée, qui va passer de la musique ?   ⊳ ..... / 1 point

- ❏ Fabien.
- ❏ Le père de Fabien.
- ❏ Le frère de Fabien.

4. Pour la soirée, qu'est-ce que Fabien et   ⊳ ..... / 1,5 point
son père vont faire ?
(Plusieurs réponses possibles, une seule attendue.)

> Dans le texte, vous pouvez
> trouver plusieurs réponses.
> Vous n'êtes pas obligé(e)
> d'écrire toutes les réponses :
> une seule réponse est
> suffisante !

....

5. Qu'est-ce que vous devez faire avant jeudi ?   ⊳ ..... / 1,5 point

....

6. Vous recevez cet e-mail.

> **De :** flo2001@gmail.com

> **Objet :** À bientôt ?

Salut les copains !
Ça fait déjà 4 mois que j'ai déménagé. Strasbourg est une belle ville et mon nouveau collège est super, mais les élèves de ma classe ne sont pas très sympas. Vous me manquez beaucoup !
Je vais bientôt rendre visite à mon oncle et ma tante et j'aimerais en profiter pour vous voir tous. J'ai trouvé des billets de train pas chers sur Internet pour la semaine du 28 avril au 4 mai. Est-ce que vous êtes là ?
On pourrait s'organiser une journée en ville ?
J'ai besoin d'avoir rapidement votre réponse pour acheter les billets car il n'y en a plus beaucoup à ce prix-là.
À très vite !
Florent

Répondez aux questions.

1. Florent vit à Strasbourg depuis combien de temps ?   ▷ ..... / 1,5 point

....

2. Florent...   ▷ ..... / 1 point

- ❏ déteste son collège.
- ❏ apprécie peu la ville de Strasbourg.
- ❏ n'aime pas ses camarades de classe.

3. Pourquoi Florent vous écrit ?   ▷ ..... / 1 point

- ❏ Il aimerait vous voir.
- ❏ Il va bientôt déménager.
- ❏ Il vous invite à Strasbourg.

4. Florent pense acheter des billets de train pour quelle période ?   ▷ ..... / 1,5 point

....

5. Pourquoi vous devez donner une réponse rapide à Florent ?   ▷ ..... / 1 point

- ❏ Il doit organiser une journée en ville.
- ❏ Il doit prévenir son oncle et sa tante de sa venue.
- ❏ Il reste peu de billets de train pas chers sur Internet.

Compréhension **des écrits** ___ **Je m'entraîne** _____

7. **Vous êtes en France. La mère de votre famille d'accueil vous a écrit un courriel.**

De : nadege.reboulet@hotmail.com

Objet : **informations bibliothèque**

Bonjour,
J'ai téléphoné hier à la bibliothèque et j'ai pris les informations pour toi :
La date limite de ton prêt est dépassée. Tu dois rapporter les livres et les DVD que tu as empruntés.
Attention, la bibliothèque est fermée pendant le mois de juillet.
Si tu veux renouveler ton inscription, il faut aller sur le site Internet de la bibliothèque, rubrique « Je renouvelle mon inscription ». Pour stopper ton inscription, il faut écrire à biblio@maville.fr.
À partir du 1er août, l'entrée de la bibliothèque change (nouvelle entrée : rue Flamande).
Tu peux voir le programme des événements littéraires de la bibliothèque sur le site Internet.
Une prochaine rencontre avec ton écrivain préféré est prévue samedi !
À plus tard !
Nadège

Répondez aux questions.

1. **Nadège vous informe que...** ▷ ...../ **1 point**

❑ la bibliothèque va définitivement fermer.

❑ vous devez rendre des livres à la bibliothèque.

❑ votre inscription à la bibliothèque est terminée.

2. **Qu'est-ce qu'il se passe au mois de juillet ?** ▷ ...../ **1,5 point**

....

3. **Pour renouveler l'inscription à la bibliothèque il faut...** ▷ ...../ **1 point**

❑ se déplacer à la bibliothèque.

❑ aller sur le site Internet de la bibliothèque.

❑ écrire un e-mail au responsable de la bibliothèque.

4. **Qu'est-ce qui change le 1er août ?** ▷ ...../ **1,5 point**

....

5. **Quelle information peut-on trouver dans le programme de la bibliothèque ?** ▷ ...../ **1 point**

❑ La liste des nouveaux livres.

❑ Les horaires d'ouverture et de fermeture.

❑ Les rencontres prévues avec des écrivains.

8. Vous recevez cette carte postale.

Bisous des Alpes !
Là où je suis, la connexion Internet est vraiment mauvaise, alors, je t'écris une carte postale !
Ici, c'est génial ! Beau temps, personnes super sympas et plein d'activités au programme : équitation, randonnées, beach-volley...
Seul problème : tous les matins, on doit se lever super tôt pour commencer les activités. Tu me connais, j'ai du mal à me lever le matin, alors, pendant les vacances, c'est encore plus difficile !
Mais les activités et l'ambiance sont chouettes. L'après-midi, on ne sort pas de la maison car il fait trop chaud. On se repose et, vers 16 h 30, on va se baigner au lac.
Demain, on fait une randonnée et, à midi, on pique-nique. Ça va être génial !
À bientôt !
Luc

Super A2
13, rue des Héros
METROPOLIS

Répondez aux questions.

1. Luc vous envoie une carte postale car... ▷ ...... / 1 point

❑ il ne peut pas vous envoyer d'e-mail.
❑ il ne connaît pas votre adresse électronique.
❑ il déteste être connecté sur Internet pendant ses vacances.

2. Qu'est-ce qui est difficile pour Luc, pendant son séjour ? ▷ ...... / 1 point

❑ L'ambiance.
❑ Se réveiller tôt.
❑ Faire beaucoup d'activités.

3. L'après-midi, avant 16 h 30, pourquoi Luc reste à la maison ? ▷ ...... / 1,5 point

....

4. Vers 16 h 30, Luc... ▷ ...... / 1 point

❑ se repose.
❑ va à la plage.
❑ fait une randonnée.

5. Demain, que va faire Luc pour le déjeuner ? ▷ ...... / 1,5 point

....

9. Vous recevez cet e-mail.

> **De :** baptiste888@gmail.com

> **Objet : cadeau pour Max**

> *Salut !*
> *Tu sais que Max n'a plus de vélo ? Samedi, il est allé au cinéma et après le film, son vélo*
> *n'était plus là ! Impossible de le retrouver.*
> *Il est rentré chez lui en bus... Il était super énervé ! On pourrait lui offrir un nouveau vélo*
> *pour son anniversaire ? Max préfère le bleu mais j'ai vu un vélo gris pas très cher dans le*
> *magasin près du collège.*
> *Qu'est-ce que tu en penses ?*
> *Appelle-moi ce soir pour me donner ta réponse, s'il te plaît !*
> *Baptiste*

Répondez aux questions.

1. Samedi, Max... ▷ ..... / 1 point

❏ a perdu son vélo.

❏ a trouvé son vélo cassé.

❏ a acheté un nouveau vélo.

2. Samedi, Max est rentré chez lui... ▷ ..... / 1 point

❏ à vélo.

❏ à pied.

❏ en bus.

3. Qu'est-ce que Baptiste vous propose pour l'anniversaire de Max ? ▷ ..... / 1,5 point

....

4. Baptiste parle d'un magasin. Où se trouve ce magasin ? ▷ ..... / 1,5 point

....

5. Qu'est-ce vous devez faire ce soir ? ▷ ..... / 1 point

❏ Téléphoner à Baptiste.

❏ Écrire un e-mail au magasin.

❏ Acheter le cadeau d'anniversaire de Max.

10. **Vous vivez en France, vous recevez cet e-mail.**

> De : josephine2@gmail.com

> Objet : chorale hier soir

> *Salut,*
> *Pourquoi tu n'étais pas à la chorale hier soir ? Moi, j'avais un peu mal à la gorge, mais c'était bien.*
> *On a commencé à étudier deux nouvelles chansons pour le concert de fin d'année, mais on n'était pas tous là. Il n'y avait que 4 garçons, et chez les filles, Linda aussi était absente.*
> *Le prof de chant était en colère. Il dit qu'il ne veut pas annuler le concert, et que tout le monde doit venir aux répétitions.*
> *Il va y avoir un week-end spécial pour préparer le concert : 2 jours de répétitions de 10 heures à 16 heures !*
> *À plus !*
> *Josy*

Répondez aux questions.

1. **Josy vous écrit pour vous demander...** ⊳ ..... / 1 point

❑ les titres de nouvelles chansons.
❑ la date du concert de fin d'année.
❑ la raison de votre absence à la chorale.

2. **Combien de garçons étaient présents à la chorale, hier soir ?** ⊳ ..... / 1,5 point

....

3. **Le chef de la chorale était en colère car...** ⊳ ..... / 1 point

❑ il va devoir annuler le concert.
❑ il y avait trop d'absents à la répétition.
❑ les élèves de la chorale ont mal chanté.

4. **Pourquoi il va y avoir un week-end spécial ?** ⊳ ..... / 1,5 point

....

5. **Pendant le week-end spécial, jusqu'à quelle heure vous allez répéter ?** ⊳ ..... / 1 point

❑ 10 heures.
❑ 14 heures.
❑ 16 heures.

Compréhension **des écrits** ___ Je m'entraîne ___

11. **Vous recevez cet e-mail.**

> **De :** coralilalou@hotmail.fr
>
> **Objet :** gala de danse
>
> *Chers amis,*
> *Je suis contente de vous inviter tous au spectacle de danses latines de mon club. C'est le vendredi 18 avril, à 20 heures, dans la salle de théâtre de la mairie, près du cinéma. Ça va être chouette ! La musique est géniale, les petits du club vont danser avec des costumes très colorés.*
> *Hier, j'ai vu la répétition des grands et c'est super beau, ils vont danser la salsa et le tango argentin. Mes copines et moi, on passe au début du spectacle, alors il ne faut pas être en retard, sinon vous n'allez pas nous voir. Venez, c'est gratuit !*
> *Après, on pourrait aller au café ?*
> *Bisous.*
> *Coralie*

Répondez aux questions.

1. **Vendredi, Coralie vous invite à aller voir...** ▷ ..... / 1 point

❏ un film.
❏ un spectacle.
❏ une pièce de théâtre.

2. **D'après Coralie, qu'est-ce qui va être très coloré ?** ▷ ..... / 1,5 point

....

3. **Hier, à son club, Coraline a vu...** ▷ ..... / 1 point

❏ ses copines.
❏ une répétition.
❏ des costumes.

4. **Pourquoi vous devez arriver à l'heure vendredi ?** ▷ ..... / 1 point

❏ Pour essayer des costumes.
❏ Pour voir Coralie et ses amies.
❏ Pour pouvoir entrer gratuitement.

5. **Qu'est-ce que Coralie propose de faire après le spectacle ?** ▷ ..... / 1,5 point

....

12. Vous étudiez dans un collège en France, vous recevez cet e-mail.

> **De :** bastienglou@hotmail.com

> **Objet :** allez, à l'eau !

> Salut,
> Tu cherches toujours un sport en piscine ? Je crois que j'ai une super idée !
> Avec mon équipe de water-polo, on cherche quelqu'un pour remplacer Léo parce qu'il a déménagé.
> Pas besoin d'avoir déjà pratiqué ce sport, on accepte les débutants mais il faut savoir nager.
> Pas besoin, non plus, d'acheter un bonnet, on peut t'en donner un.
> L'équipe est sympa, il y a une super ambiance. En plus, on va aller jouer à l'étranger en juin, alors c'est l'occasion de voyager.
> L'entraînement est le jeudi soir à 19 heures à la piscine du collège.
> Tu veux bien ? Donne-moi vite ta réponse, s'il te plaît !
> Bastien

Répondez aux questions.

1. Que vous propose Bastien ?   ▷ ..... / 1 point

❏ De jouer dans son équipe de water-polo.
❏ D'aller voir un match de water-polo avec lui.
❏ De le remplacer dans son équipe de water-polo.

2. Pourquoi Léo a arrêté de jouer au water-polo ?   ▷ ..... / 1,5 point

....

3. Pour accepter la proposition de Bastien, vous devez...   ▷ ..... / 1 point

❏ savoir nager.
❏ avoir un bonnet.
❏ bien connaître le water-polo.

4. Au mois de juin, Bastien va...   ▷ ..... / 1 point

❏ s'entraîner tous les jeudis.
❏ partir en vacances à l'étranger.
❏ jouer au water-polo dans un autre pays.

5. À quelle heure est-ce que l'entraînement a lieu ?   ▷ ..... / 1,5 point

....

Partie

C. **Lire des instructions** /6 points

Dans ce 3ᵉ exercice, vous allez lire des instructions données dans un document (recette de cuisine, mode d'emploi, règlement…). Vous devez ensuite répondre à 5 questions de compréhension.

Dans quel type de document pouvez-vous trouver ces instructions ?

1. Il est interdit de manger ou de boire dans la bibliothèque.   •   • **a.** Message

2. Ajoutez à la pâte le beurre coupé en morceaux.   •   • **b.** Mode d'emploi

3. Utiliser la poubelle jaune pour le carton, le papier et les bouteilles en plastique.   •   • **c.** Recette

4. Pour votre inscription au DELF A2, vous devez apporter les documents suivants :   •   • **d.** Règlement intérieur
   – votre pièce d'identité ;
   – votre convocation.

1. Vous lisez cette recette.

Pâte à pancakes

Il vous faut :
- 300 grammes de farine
- 20 cl de lait
- 2 œufs
- 1 sachet de levure chimique
- une pincée de sel
- un saladier
- une poêle
- une louche
- une cuillère en bois

1. Versez la farine, la levure et le sel dans un saladier.
2. Cassez les œufs et ajoutez-les à la préparation.
3. Mélangez tous les ingrédients avec une cuillère en bois.
4. Ajoutez progressivement le lait.
5. Laissez reposer la pâte pendant 1 h 30.
6. Faites chauffer la poêle.
7. Versez dans la poêle une louche de pâte pour obtenir une crêpe d'environ 1 cm d'épaisseur.
8. Laissez cuire une minute puis retournez et attendez encore une minute.

» Le lexique

1. Vous avez besoin de quels ingrédients pour réaliser cette recette ?

❑ A   ❑ B   ❑ C   ❑ D

❑ E   ❑ F   ❑ G   ❑ H

2. Vous avez besoin de quels instruments pour réaliser cette recette ?

❏ A ❏ B ❏ C ❏ D

❏ E ❏ F ❏ G ❏ H

❱❱ Les instructions

1. Soulignez les verbes à l'impératif de la recette.

2. Écrivez le numéro de l'instruction dans la recette, sous l'image qui correspond.

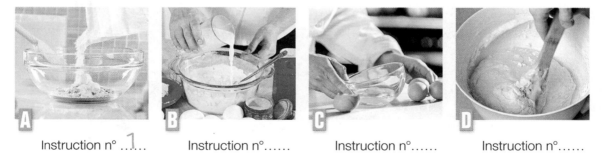

Instruction n° ..1.. Instruction n°...... Instruction n°...... Instruction n°......

❱❱ Les questions types DELF

1. La préparation doit reposer pendant combien de temps ?

❏ Moins d'une heure. ❏ Pas plus d'une heure. ❏ Une heure et demie.

2. Avant de verser la pâte dans la poêle il faut…

❏ chauffer la poêle. ❏ mélanger la pâte. ❏ changer de saladier.

3. De quel instrument avez-vous besoin pour verser la pâte dans la poêle ?

❏ A ❏ B ❏ C

C'est parti !

2. **Vous lisez cette recette sur un site Internet français.**

Recette des mini-cakes au chocolat

Ingrédients :

❯ 150 g de chocolat noir
❯ 60 g de poudre d'amandes
❯ 60 g de sucre
❯ 60 g de beurre
❯ 35 g de farine
❯ 150 ml de crème liquide
❯ 3 blancs d'œufs
❯ 1/2 cuillère à soupe de levure

Préparation (30 minutes) :

❯ Coupez le chocolat en petits morceaux.
❯ Faites fondre le beurre dans une casserole.
❯ Dans un bol, battez les blancs d'œufs en neige.
❯ Faites chauffer la crème sans cesser de remuer et ajoutez le chocolat en morceaux.
❯ Dans un saladier, mélangez le sucre, la farine, la poudre d'amandes et la levure.
❯ Dans ce mélange, mettez, les blancs d'œufs en neige puis le beurre fondu et enfin la crème au chocolat.
❯ Déposez la préparation dans des petits moules à cake.
❯ Faites cuire au four préchauffé à 180° (Th. 6) pendant 20 minutes.
❯ Sortez du four et laissez refroidir avant de déguster.

Répondez aux questions.

1. **Pour faire cette recette vous avez besoin de quel ingrédient ?** ▷ ..... / 1 point

❏ A   ❏ B   ❏ C

2. **Que faut-il ajouter dans la crème quand elle chauffe ?** ▷ ..... / 1 point

❏ Le sucre.
❏ La farine.
❏ Le chocolat.

3. **Pour faire votre préparation, vous devez mélanger tous les ingrédients de la recette dans...** ▷ ..... / 1 point

❏ Un bol.
❏ Un moule.
❏ Un saladier.

4. **Pendant combien de temps est-ce que la préparation doit cuire ?** ▷ ..... / 1,5 point

....

5. **Que devez-vous faire avant de manger les mini-cakes ?** ▷ ..... / 1,5 point

....

3. Vous lisez cette recette sur un site Internet français.

La salade grecque

Ingrédients *(pour 4 personnes)*

Sauce vinaigrette
- une cuillère d'huile d'olive
- une cuillère de jus de citron
- un peu de moutarde de Dijon

Salade
- 4 tomates
- des olives vertes
- 1 concombre
- 1 poivron vert
- 150 grammes de fromage feta
- 1 oignon rouge
- Sel et poivre

Préparation *(30 minutes)*

1 Dans un saladier (pas un bol), mélangez tous les ingrédients de la sauce à l'aide d'une fourchette.
2 Coupez les tomates en petits quartiers et le poivron, le concombre et l'oignon en forme de petits cubes.
3 Mélangez les tomates et les cubes de légumes avec la sauce vinaigrette.
4 Salez et poivrez.
5 Mettez la salade au réfrigérateur jusqu'au moment de la servir.
6 Coupez le fromage en fines tranches et ajoutez-le, avec les olives, au dernier moment, juste avant de servir, c'est bien meilleur !
7 Idée ! Pour un oignon moins fort, laissez-le dans un bol d'eau froide pendant environ 10 minutes.

Répondez aux questions.

1. Pour faire la sauce vinaigrette, vous avez besoin… ..... / 1 point

❏ A ❏ B ❏ C

2. Vous devez mélanger la sauce avec quel instrument de cuisine ? ..... / 1,5 point

....

3. Qu'est-ce qui doit être coupé en petits cubes ? ..... / 1 point

❏ Le fromage.
❏ Les tomates.
❏ Les concombres.

4. Où devez-vous placer la salade avant de la servir ? ..... / 1,5 point

....

5. Il faut ajouter la feta et les olives à la salade avant… ..... / 1 point

❏ de la servir à table.
❏ de la mettre au réfrigérateur.
❏ de la mélanger à la sauce vinaigrette.

4. **Vous lisez cette recette sur le blog d'une amie française.**

Le gâteau aux pommes de ma grand-mère : ### super facile !

Pour faire ce gâteau, pas besoin de calculer !
Une tasse suffit pour les quantités.
C'est une recette facile à faire avec des enfants !

- 1 tasse de sucre
- 1 tasse de farine
- 3 œufs
- 1 tasse de lait
- 3 pommes
- 1 moule à tarte
- un peu de beurre

Temps :
10 minutes pour la préparation
30 minutes pour la cuisson

→ Mélangez dans un saladier le sucre, la farine et les œufs.
→ Quand le tout forme une pâte compacte, ajoutez le lait lentement, et mélangez.
→ Pelez les pommes et coupez-les en tranches fines.
→ Ajoutez les pommes dans le saladier.
→ Beurrez le moule à tarte et versez la préparation dedans.
→ Mettez le moule au four, et laissez cuire 30 minutes.
→ Sortez le moule du four et laissez refroidir (le gâteau est meilleur froid).
→ Vous pouvez utiliser d'autres fruits, comme des ananas en boîte, qui sont déjà coupés en tranches et accompagner d'une boule de glace à la vanille.

Répondez aux questions.

1. **Que doit-on avoir pour faire cette recette ?** ▷ ...... / 1 point

❏ A   ❏ B   ❏ C

2. **À quel moment faut-il verser le lait ?** ▷ ...... / 1 point

❏ Avant de préparer la pâte avec…
❏ Au même moment que…   … le sucre, la farine et les œufs.
❏ Après avoir mélangé…

3. **Comment les pommes doivent-elles être coupées ?** ▷ ...... / 1,5 point

....

4. **Que faut-il mettre dans le moule avant d'y verser la pâte ?** ▷ ...... / 1,5 point

....

5. **D'après la recette, on peut…** ▷ ...... / 1 point

❏ manger le gâteau sans fruit.
❏ mélanger plusieurs fruits différents.
❏ remplacer les pommes par un autre fruit.

5. **Vous lisez cette recette dans un magazine français.**

Cuisine créative pour faire manger les enfants : l'assiette-dessin

Type de plat

Entrée, plat principal et dessert
en même temps !

Il faut

2 carottes
2 concombres
1 salade
2 œufs
2 tranches de jambon
2 pommes
2 cuillères d'huile d'olive
1 citron

Comment faire ?

* Faire cuire les carottes (15 minutes).
* Faire cuire les œufs (10 minutes).
* Trancher très finement le jambon.
* Couper les pommes pelées en tout petits morceaux.
* Laver la salade.
* Couper les carottes cuites et les concombres en rondelles.
* Mettre quelques feuilles de salade sur le haut de l'assiette pour faire les cheveux.
* Juste dessous, mettre le jambon pour faire la tête, et utiliser les œufs pour les yeux et la bouche.
* Dessiner le corps avec les rondelles de concombre.
* Faire les bras et les jambes en carottes et les chaussures avec les pommes.
* Faire une sauce avec l'huile d'olive et le jus de citron.

Répondez aux questions.

1. **Que propose cette recette originale ?** ▷ ..... / 1 point

❏ Un dessert.
❏ Une entrée.
❏ Un repas complet.

2. **Quel légume doit être cuit ?** ▷ ..... / 1,5 point

....

3. **Où faut-il placer la salade ?** ▷ ..... / 1,5 point

....

4. **Quel aliment est utilisé pour dessiner des yeux ?** ▷ ..... / 1 point

❏ A   ❏ B   ❏ C

5. **À la fin de la présentation des aliments dans l'assiette, quel dessin doit apparaître ?** ▷ ..... / 1 point

❏ Un bonhomme.
❏ La tête d'un animal.
❏ Le visage d'un enfant.

6. Avant la rentrée des classes dans votre nouveau collège en France, vous lisez le fonctionnement du Centre de Documentation et d'Information (CDI) sur le site Internet du collège.

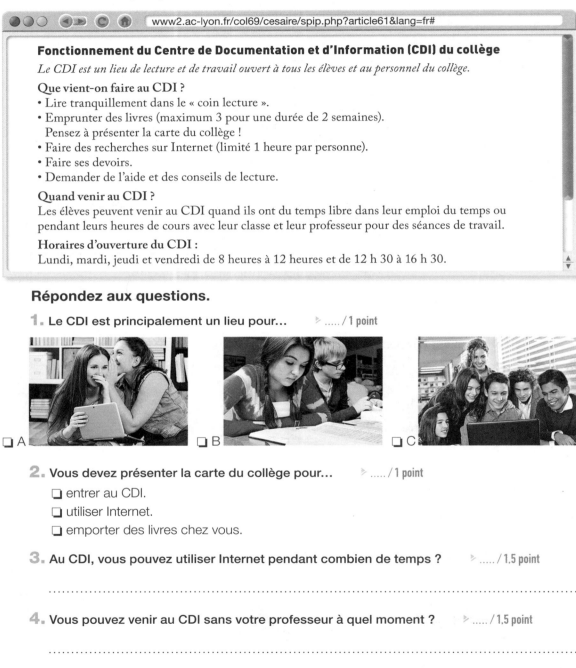

www2.ac-lyon.fr/col69/cesaire/spip.php?article61&lang=fr#

Fonctionnement du Centre de Documentation et d'Information (CDI) du collège

Le CDI est un lieu de lecture et de travail ouvert à tous les élèves et au personnel du collège.

Que vient-on faire au CDI ?
• Lire tranquillement dans le « coin lecture ».
• Emprunter des livres (maximum 3 pour une durée de 2 semaines). Pensez à présenter la carte du collège !
• Faire des recherches sur Internet (limité 1 heure par personne).
• Faire ses devoirs.
• Demander de l'aide et des conseils de lecture.

Quand venir au CDI ?
Les élèves peuvent venir au CDI quand ils ont du temps libre dans leur emploi du temps ou pendant leurs heures de cours avec leur classe et leur professeur pour des séances de travail.

Horaires d'ouverture du CDI :
Lundi, mardi, jeudi et vendredi de 8 heures à 12 heures et de 12 h 30 à 16 h 30.

D'après http://www2.ac-lyon.fr

Répondez aux questions.

1. Le CDI est principalement un lieu pour...   ▷ ...../ 1 point

❏ A   ❏ B   ❏ C

2. Vous devez présenter la carte du collège pour...   ▷ ...../ 1 point

❏ entrer au CDI.
❏ utiliser Internet.
❏ emporter des livres chez vous.

3. Au CDI, vous pouvez utiliser Internet pendant combien de temps ?   ▷ ...../ 1,5 point

....

4. Vous pouvez venir au CDI sans votre professeur à quel moment ?   ▷ ...../ 1,5 point

....

5. Le CDI est fermé...   ▷ ...../ 1 point

❏ le lundi matin.
❏ le mardi après-midi.
❏ le mercredi toute la journée.

7. **Vous vivez en France, et, dans une piscine, vous lisez ce règlement.**

Piscine thermale Les Nénuphars
Règlement intérieur

Pour permettre à tous de profiter de la piscine, nous vous invitons à respecter ces quelques règles :
- les shorts sont strictement interdits : les garçons doivent porter un maillot de bain ;
- Il est obligatoire pour tous de porter un bonnet de bain ;
- les enfants de moins de 10 ans, même sachant bien nager, doivent être accompagnés d'un adulte ;
- prendre une douche ;
- ne circulez pas au bord du bassin en chaussures, seules les sandales sont autorisées ;
- ne courez pas pieds nus sur le carrelage ;
- pour éviter tout accident : ne plongez pas dans l'eau quand il y a beaucoup de monde ;
- Il est interdit de manger et boire autour des bassins.

Répondez aux questions.

1. **Quelle est la tenue obligatoire dans la piscine ?**   ▷ ..... / 1 point

❏ A   ❏ B   ❏ C

2. **On peut se baigner sans un adulte quand...**   ▷ ..... / 1 point

❏ on sait bien nager.

❏ on a plus de 10 ans.

❏ on a un bonnet de bain.

3. **Que devez-vous faire avant d'entrer dans les bassins ?**   ▷ ..... / 1,5 point

....

4. **Au bord des bassins, il est interdit de marcher...**   ▷ ..... / 1 point

❏ pieds nus.

❏ en sandales.

❏ en chaussures.

5. **Qu'est-ce qu'il est interdit de faire quand beaucoup de personnes se baignent ?**   ▷ ..... / 1,5 point

....

8. **Vous êtes dans une école en France, vous lisez cette affiche.**

Association Mosaïque présente son nouveau concours :

Dessine l'école de tes rêves !

Règlement du concours :

• Si tu as entre 4 et 12 ans, tu peux participer !
• Les dessins proposés doivent être sur le thème de l'école (attention, un seul dessin par participant !).
• Tu peux utiliser de la peinture, des feutres, des crayons de couleur, mais pas de collages. Ils doivent être faits sur une feuille au format 24 cm x 32 cm.

Pour participer, apporte ton dessin à l'association Mosaïque jusqu'au 18 mai.
Pense à scanner ou à prendre ton dessin en photo avant de l'envoyer.
N'oublie pas d'écrire ton nom, ton prénom et le nom de ton école derrière le dessin.
Le 25 mai, pendant la grande fête de l'association Mosaïque, le public va voter pour le meilleur dessin.

Un voyage dans une capitale européenne est à gagner !

Répondez aux questions.

1. **Pour participer au concours, qu'est-ce qu'il faut dessiner ?** ▷ ..... / 1,5 point

....

2. **On peut participer à ce concours jusqu'à quel âge ?** ▷ ..... / 1 point

❑ 4 ans.
❑ 12 ans.
❑ 13 ans.

3. **Pour réaliser le dessin, qu'est-ce qu'il est interdit d'utiliser ?** ▷ ..... / 1 point

❑ Les feutres.
❑ Les crayons.
❑ Les collages.

4. **Quelle est la date limite pour rendre son dessin ?** ▷ ..... / 1,5 point

....

5. **Que peut-on gagner avec ce concours ?** ▷ ..... / 1 point

❑ A   ❑ B   ❑ C

9. **Vous lisez la présentation et les règles d'un jeu sur un site Internet français.**

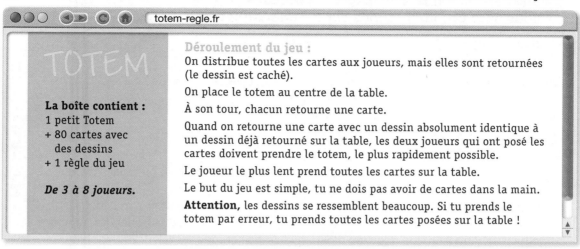

totem-regle.fr

TOTEM

La boîte contient :
1 petit Totem
+ 80 cartes avec
des dessins
+ 1 règle du jeu

De 3 à 8 joueurs.

Déroulement du jeu :

On distribue toutes les cartes aux joueurs, mais elles sont retournées (le dessin est caché).

On place le totem au centre de la table.

À son tour, chacun retourne une carte.

Quand on retourne une carte avec un dessin absolument identique à un dessin déjà retourné sur la table, les deux joueurs qui ont posé les cartes doivent prendre le totem, le plus rapidement possible.

Le joueur le plus lent prend toutes les cartes sur la table.

Le but du jeu est simple, tu ne dois pas avoir de cartes dans la main.

Attention, les dessins se ressemblent beaucoup. Si tu prends le totem par erreur, tu prends toutes les cartes posées sur la table !

Répondez aux questions.

1. Quand vous achetez le jeu, qu'est-ce qu'il y a dans la boîte ?   ▷ ...... / 1 point

❏ A

❏ B

❏ C

2. Combien de joueurs faut-il au minimum pour jouer ?   ▷ ...... / 1 point

❏ 1.
❏ 3.
❏ 8.

3. Où doit être le totem au début du jeu ?   ▷ ...... / 1,5 point

....

4. Le gagnant est le joueur qui...   ▷ ...... / 1 point

❏ n'a plus de cartes.
❏ a toutes les cartes.
❏ a les cartes et le totem.

5. Qu'est-ce qu'on doit faire si on prend le totem par erreur ?   ▷ ...... / 1,5 point

....

10. **Vous êtes abonné à un magazine français.**
Vous lisez ces instructions sur le site Internet.

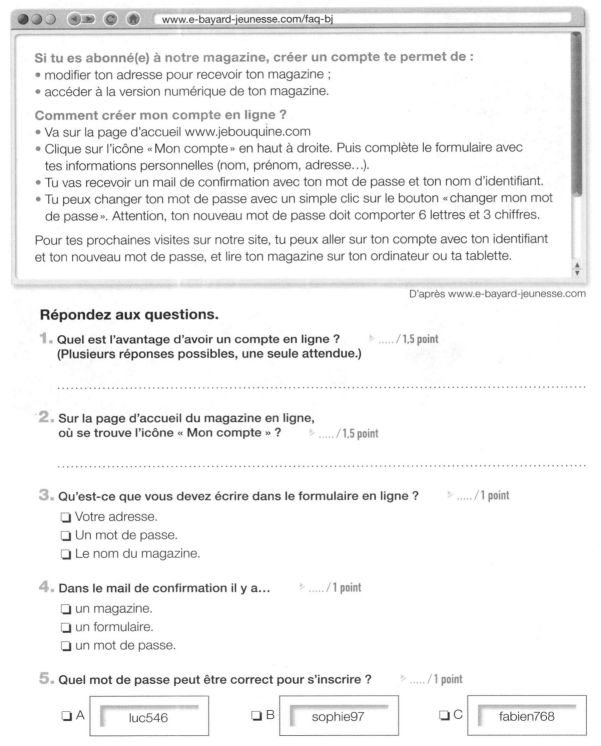

www.e-bayard-jeunesse.com/faq-bj

Si tu es abonné(e) à notre magazine, créer un compte te permet de :
• modifier ton adresse pour recevoir ton magazine ;
• accéder à la version numérique de ton magazine.

Comment créer mon compte en ligne ?
• Va sur la page d'accueil www.jebouquine.com
• Clique sur l'icône « Mon compte » en haut à droite. Puis complète le formulaire avec tes informations personnelles (nom, prénom, adresse…).
• Tu vas recevoir un mail de confirmation avec ton mot de passe et ton nom d'identifiant.
• Tu peux changer ton mot de passe avec un simple clic sur le bouton « changer mon mot de passe ». Attention, ton nouveau mot de passe doit comporter 6 lettres et 3 chiffres.

Pour tes prochaines visites sur notre site, tu peux aller sur ton compte avec ton identifiant et ton nouveau mot de passe, et lire ton magazine sur ton ordinateur ou ta tablette.

D'après www.e-bayard-jeunesse.com

Répondez aux questions.

1. Quel est l'avantage d'avoir un compte en ligne ? ▷ ..... / 1,5 point
(Plusieurs réponses possibles, une seule attendue.)

....

2. Sur la page d'accueil du magazine en ligne,
où se trouve l'icône « Mon compte » ? ▷ ..... / 1,5 point

....

3. Qu'est-ce que vous devez écrire dans le formulaire en ligne ? ▷ ..... / 1 point
❏ Votre adresse.
❏ Un mot de passe.
❏ Le nom du magazine.

4. Dans le mail de confirmation il y a… ▷ ..... / 1 point
❏ un magazine.
❏ un formulaire.
❏ un mot de passe.

5. Quel mot de passe peut être correct pour s'inscrire ? ▷ ..... / 1 point

❏ A | luc546   ❏ B | sophie97   ❏ C | fabien768

11. Vous êtes en Normandie, en France.
Vous lisez cette offre sur le site Internet de votre école.

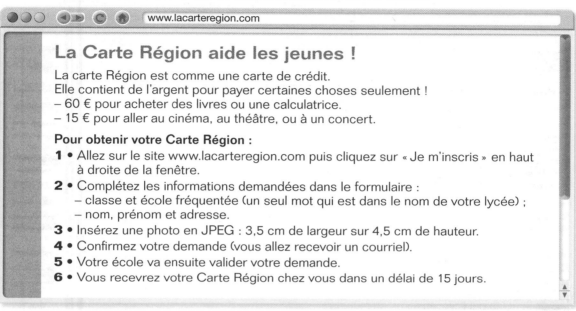

www.lacarteregion.com

La Carte Région aide les jeunes !

La carte Région est comme une carte de crédit.
Elle contient de l'argent pour payer certaines choses seulement !
– 60 € pour acheter des livres ou une calculatrice.
– 15 € pour aller au cinéma, au théâtre, ou à un concert.

Pour obtenir votre Carte Région :
1 • Allez sur le site www.lacarteregion.com puis cliquez sur « Je m'inscris » en haut à droite de la fenêtre.
2 • Complétez les informations demandées dans le formulaire :
    – classe et école fréquentée (un seul mot qui est dans le nom de votre lycée) ;
    – nom, prénom et adresse.
3 • Insérez une photo en JPEG : 3,5 cm de largeur sur 4,5 cm de hauteur.
4 • Confirmez votre demande (vous allez recevoir un courriel).
5 • Votre école va ensuite valider votre demande.
6 • Vous recevrez votre Carte Région chez vous dans un délai de 15 jours.

Répondez aux questions.

1. Avec la Carte Région, on peut acheter... ⊳ ...../1 point

❑ A   ❑ B   ❑ C

2. Pour obtenir la Carte Région, il faut... ⊳ ...../1 point

❑ aller sur le site www.lacarteregion.com.
❑ envoyer un formulaire papier à votre école.
❑ demander à la banque de contacter votre école.

3. En plus des informations personnelles, qu'est-ce qu'il faut donner pour obtenir la Carte Région ? ⊳ ...../1,5 point

....

4. Qui va valider votre demande de Carte Région ? ⊳ ...../1 point

❑ Votre école.   ❑ Votre région.   ❑ Votre banque.

5. Il faut combien de temps pour recevoir sa Carte Région ? ⊳ ...../1,5 point

....

12. **Vous lisez ces indications sur le blog d'une amie française.**

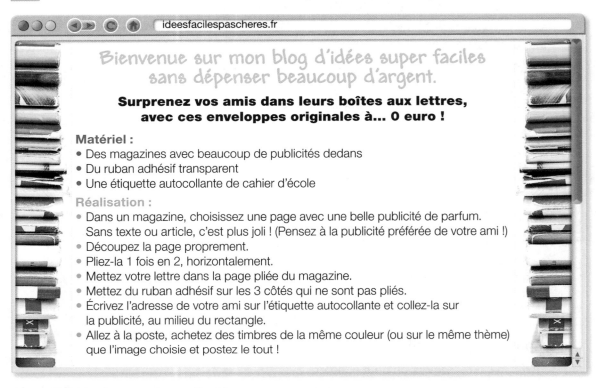

ideesfacilespascheres.fr

*Bienvenue sur mon blog d'idées super faciles
sans dépenser beaucoup d'argent.*

**Surprenez vos amis dans leurs boîtes aux lettres,
avec ces enveloppes originales à... 0 euro !**

Matériel :
- Des magazines avec beaucoup de publicités dedans
- Du ruban adhésif transparent
- Une étiquette autocollante de cahier d'école

Réalisation :
- Dans un magazine, choisissez une page avec une belle publicité de parfum.
  Sans texte ou article, c'est plus joli ! (Pensez à la publicité préférée de votre ami !)
- Découpez la page proprement.
- Pliez-la 1 fois en 2, horizontalement.
- Mettez votre lettre dans la page pliée du magazine.
- Mettez du ruban adhésif sur les 3 côtés qui ne sont pas pliés.
- Écrivez l'adresse de votre ami sur l'étiquette autocollante et collez-la sur
  la publicité, au milieu du rectangle.
- Allez à la poste, achetez des timbres de la même couleur (ou sur le même thème)
  que l'image choisie et postez le tout !

Répondez aux questions.

1. L'idée proposée est facile et...   ▷ ...... / 1,5 point

....

2. Ce blog propose de fabriquer...   ▷ ...... / 1 point

❑ A

❑ B

❑ C

3. Dans un magazine, vous devez découper une page avec...   ▷ ...... / 1 point

❑ un article.   ❑ une publicité.   ❑ des petits textes.

4. Sur l'étiquette autocollante vous devez écrire...   ▷ ...... / 1 point

❑ un message.   ❑ une adresse.   ❑ des explications.

5. Quel est le seul élément qu'il faut payer ?   ▷ ...... / 1,5 point

....

Partie **D.** **Lire pour s'informer** **/8 points**

Dans ce 4ᵉ exercice, vous devez comprendre les informations données dans un court document (article, brochure, post Internet…).
Pour répondre aux questions, vous devez :
– écrire une information (un chiffre, un numéro de téléphone, un horaire, un mot, une phrase courte)
– cocher ☒ la réponse correcte parmi 3 propositions (attention, il y a toujours **1 seule bonne réponse** !) ;
– dire si une affirmation est vraie ou fausse et recopier une phrase du document.

1. **Vous lisez cet article sur un site Internet français.**

www.lexpress.fr

Que font les ados sur Facebook ?

Chers parents, vos enfants passent des heures sur Facebook et ils ne vous disent rien ? Ils ne vous permettent pas d'accéder à leur profil Facebook ? Voici quelques informations pour comprendre ce que font les adolescents sur le réseau social Facebook.

Sur Facebook, les ados disent comment ils vont. Ils parlent d'amour ou expriment leur colère. Ils créent des groupes de discussion (par exemple le groupe « Tu sais que tu es né dans les années 90 quand… ») ou font des tests pour connaître leur avenir (par exemple « À quel âge je vais me marier ? »).
Les ados adorent publier des photos d'eux prises à l'école, pendant des fêtes entre amis et pour montrer leur nouvelle coiffure ou leurs nouveaux vêtements. Enfin, ils inventent une famille idéale. Sur Facebook, on peut, en effet, décider qui sont ses parents, on peut se créer des frères et des sœurs. C'est leur jardin secret, mais il reste public aux copains…

D'après www.lexpress.fr

≫ **Comprendre le document**

1. **Quel est le titre de cet article ?** ....

2. **De quel site Internet est extrait cet article ?** ....

3. **L'auteur commence son article avec des questions. Ces questions sont posées…**
☐ aux adolescents.   ☐ aux parents d'adolescents.   ☐ aux adolescents et leurs parents.
Soulignez en bleu la phrase ou partie de phrase qui justifie votre réponse.

4. **Cet article…**
☐ critique.   ☐ informe.   ☐ conseille.
Soulignez en vert la phrase ou partie de phrase qui justifie votre réponse.

5. Recopiez au minimum 4 activités que les ados font sur Facebook.

a. ....   c. ....

b. ....   d. ....

6. Vrai ou faux ? Cochez (☒) la case correspondante et recopiez la phrase ou
la partie du texte qui justifie votre réponse.

1. Lisez
l'affirmation.

2. Mettez une croix (☒) dans la case
« vrai » OU dans la case « faux ».

	Vrai	Faux
D'après cet article, sur Facebook, les ados parlent de leur famille.		
Justification :		

3. Recopiez ici la phrase du texte qui montre que c'est vrai
ou faux. Attention : ne reformulez pas la phrase, recopiez-la !

» Répondre aux 6 questions DELF

1. Cet article s'adresse essentiellement...   ▷ ...../ 1 point

❏ aux parents.   ❏ aux adolescents.   ❏ aux fans de Facebook.

2. Vrai ou faux ? Cochez (☒) la case correspondante et recopiez
la phrase ou la partie du texte qui justifie votre réponse.   ▷ ...../ 1,5 point

	Vrai	Faux
Les ados sont souvent amis sur Facebook avec leurs parents.		
Justification :		

3. Quand ils ne parlent pas d'amour, qu'est-ce que
les adolescents aiment exprimer sur Facebook ?   ▷ ...../ 1,5 point

....

4. D'après l'exemple donné dans l'article, quand ils font des
tests, qu'est-ce que les adolescents veulent connaître ?   ▷ ...../ 1,5 point

....

5. D'après l'article, sur Facebook, les adolescents publient des photos...   ▷ ...../ 1 point

❏ de fêtes entre amis.   ❏ de vacances en famille.   ❏ de leurs professeurs en classe.

6. Vrai ou faux ? Cochez la case correspondante et recopiez
la phrase ou la partie du texte qui justifie votre réponse.   ▷ ...../ 1,5 point

	Vrai	Faux
Sur Facebook, les adolescents peuvent se créer une famille parfaite.		
Justification :		

C'est parti !

2. **Vous lisez cet article dans un magazine français. Répondez aux questions.**

Concours Jeunes Écrivains

Chaque année, le concours « Jeunes Écrivains » du magazine *J'adore lire* donne la possibilité aux jeunes entre 10 et 14 ans de continuer un texte commencé par un grand écrivain. Cette année, l'écrivain Véronique Ovaldé a écrit le début de l'histoire *La Porte de la peur*. À vous de décider si la fin de cette histoire est triste ou drôle ! Ou peut-être un peu de tout ça à la fois…

Catégorie « Je joue seul »
Envoyez votre texte ainsi que votre bulletin de participation, avant le 9 janvier.

Catégorie « Je joue avec ma classe »
Vous pouvez envoyer un seul texte pour toute la classe ou plusieurs textes travaillés en classe. Les textes doivent être envoyés par le professeur en un seul envoi par classe avec l'adresse de l'école avant le 9 janvier.

Ne dépassez pas le nombre de pages demandé (sinon la participation est annulée), c'est-à-dire maximum une feuille recto/verso. Les textes peuvent être écrits à la main ou tapés à l'ordinateur.

De nombreux cadeaux à gagner !

D'après www.plumeacademie.com

1. **Qui peut participer au concours « Jeunes Écrivains » ?** ▷ ..... / 1,5 point

....

2. **Vrai ou faux ? Cochez la case correspondante et recopiez la phrase ou la partie du texte qui justifie votre réponse.** ▷ ..... / 1,5 point

	Vrai	Faux
Pour participer au concours, il faut écrire la fin d'une histoire. Justification :		

3. **Si vous jouez avec votre classe, qui doit envoyer votre texte ?** ▷ ..... / 1,5 point

....

4. **La participation au concours Jeunes Écrivains est annulée si le texte est…** ▷ ..... / 1 point

❑ trop long.   ❑ écrit à la main.   ❑ présenté sur une feuille recto/verso.

5. **Vrai ou faux ? Cochez la case correspondante et recopiez la phrase ou la partie du texte qui justifie votre réponse.** ▷ ..... / 1,5 point

	Vrai	Faux
Les participants doivent obligatoirement taper leur texte à l'ordinateur. Justification :		

6. **Les gagnants du concours…** ▷ ..... / 1 point

❑ reçoivent des cadeaux.
❑ rencontrent Véronique Ovaldé.
❑ publient leur texte dans le magazine.

Compréhension **des écrits** — **Je m'entraîne**

3. **Vous lisez cet article sur un site Internet français. Répondez aux questions.**

www.1jour1actu.com

Lycée Notre-Dame de Bordeaux

Le lycée Notre-Dame de Bordeaux est le 1er lycée en France à proposer des cours de skate. Les élèves de ce lycée apprennent donc à faire du skate avec un professeur de skateboard. Mais c'est normal : le directeur de cet établissement scolaire est un ancien champion de France de skateboard !

Les cours de skate ont lieu le mercredi, samedi et le dimanche matin avec des moniteurs diplômés. Les élèves peuvent pratiquer jusqu'à 12 heures par semaine.

Les cours durent 1 heure avec un nombre d'inscrits limité à 3 jeunes par moniteur pour progresser dans de bonnes conditions. Il est aussi possible de prendre des cours particuliers. Des stages de skate sont aussi organisés pendant les vacances scolaires. Ils s'adressent aux skateurs de tous niveaux (débutants à avancés), pour découvrir le skate ou améliorer sa pratique. Un skateboard et des protections sont mis à disposition gratuitement le temps du cours, si besoin.

1. **Quelle est la particularité du lycée Notre-Dame ?**   ▷ ..... / 1,5 point

....

2. **D'après l'article, il est normal que le lycée Notre-Dame propose des cours de skate parce que...**   ▷ ..... / 1,5 point

....

3. **Vrai ou faux ? Cochez la case correspondante et recopiez la phrase ou la partie du texte qui justifie votre réponse.**   ▷ ..... / 3 points

	Vrai	Faux
a. Les cours de skate ont lieu 3 fois par semaine. Justification :		
b. Il n'y a pas de stage de skate pendant les vacances. Justification :		

4. **Les cours de skate proposés dans l'établissement scolaire sont...**   ▷ ..... / 1 point

❏ accessibles à tous les niveaux.
❏ ouverts seulement aux élèves débutants.
❏ réservés aux skateurs avec un bon niveau.

5. **Pour pouvoir suivre les cours de skate, l'école...**   ▷ ..... / 1 point

❏ vend...
❏ prête...   ...l'équipement du skateur.
❏ donne...

4. Vous lisez cet article sur un site Internet français. Répondez aux questions.

```
●●○   ◀▶ C ⌂    www.lavoixdunord.fr
```

En route !

Entre Mons (Belgique) et Pilsen (République tchèque), il y a environ 850 kilomètres. Simon Wintermans veut aller dans les deux villes… à vélo !

Il a déjà fait un grand voyage comme ça en 2010, quand Pécs (la ville hongroise où il habite) était Capitale européenne de la culture. Pour participer à cet événement, il a pédalé 6 500 kilomètres, et s'arrêtait dans des villes pour participer à des émissions de radio. « Quand je suis rentré chez moi, beaucoup de monde connaissait mon histoire. J'étais un peu comme un journaliste à vélo. »

Cette année, pour célébrer Mons et Pilsen, les deux nouvelles Capitales européennes de la culture, il repart, mais, avec son jeune fils Samuel, âgé de quatre ans et demi. Le voyage entre les deux villes va durer trente jours, le long des rivières et des fleuves. En effet, Simon Wintermans veut prendre son temps et apprendre à son fils que quand on veut « le monde peut être à nous. »

D'après www.lavoixdunord.fr

1. D'après l'article, Simon veut aller à Mons et à Pilsen de quelle façon ? ▷ ..... / 1,5 point

....

2. Où habite Simon ? ▷ ..... / 1 point

❏ En Hongrie.   ❏ En Belgique.   ❏ En République tchèque.

3. Pendant son premier voyage en 2010, que faisait Simon dans les villes qu'il visitait ? ▷ ..... / 1,5 point

....

4. Vrai ou faux ? Cochez la case correspondante et recopiez la phrase ou la partie du texte qui justifie votre réponse. ▷ ..... / 1,5 point

	Vrai	Faux
Cette année, Simon voyage seul. Justification :		

5. Combien de temps va durer le voyage de Simon ? ▷ ..... / 1 point

❏ Trente jours.   ❏ Deux mois.   ❏ Quatre ans et demi.

6. Vrai ou faux ? Cochez la case correspondante et recopiez la phrase ou la partie du texte qui justifie votre réponse. ▷ ..... / 1,5 point

	Vrai	Faux
Simon veut faire un voyage rapide. Justification :		

5. **Vous lisez cet article sur un site Internet français. Répondez aux questions.**

www.midilibre.fr

Festival romain à Nîmes

Ce week-end commence à Nîmes, dans le sud de la France, le festival « Nîmes romaine, Nîmes éternelle », avec cette année le thème des gladiateurs. Pour cette occasion, les fans de *Gladiator* pourront voir leur film préféré sur un grand écran dans un décor magnifique : les arènes, l'amphithéâtre romain de la ville qui date du Ier siècle après Jésus Christ.

Avant le film, un historien spécialiste de l'Antiquité va donner une conférence sur ce monument romain très apprécié des touristes. Il est, en effet, en très bon état. Il pouvait, dans le passé, accueillir 24 000 spectateurs. On y organise encore aujourd'hui des concerts et des spectacles. Les plus grandes stars françaises et internationales ont chanté dans ces arènes.

Ouverture des portes à 20 h 30, début de la projection du film à 21 h 30.
Tarif unique : 5 euros (en vente uniquement à la billetterie des arènes).

D'après www.midilibre.fr

1. **Qu'est-ce que « Nîmes romaine, Nîmes éternelle » ?** ▷ ..... / 1 point

❏ Un film.   ❏ Un livre.   ❏ Un festival.

2. **Vrai ou faux ? Cochez la case correspondante et recopiez
la phrase ou la partie du texte qui justifie votre réponse.** ▷ ..... / 1,5 point

	Vrai	Faux
Le film *Gladiator* va être projeté dans un cinéma de la ville de Nîmes. Justification :		

3. **La conférence va être donnée à quel moment ?** ▷ ..... / 1,5 point

....

4. **D'après l'article, aujourd'hui, les arènes de Nîmes sont utilisées comme…** ▷ ..... / 1 point

❏ une salle de concerts.   ❏ un musée d'art antique.   ❏ un centre de conférences.

5. **À quelle heure commence le film ?** ▷ ..... / 1,5 point

....

6. **Vrai ou faux ? Cochez la case correspondante et recopiez
la phrase ou la partie du texte qui justifie votre réponse.** ▷ ..... / 1,5 point

	Vrai	Faux
On peut acheter son billet sur Internet. Justification :		

6. **Vous lisez cet article dans un magazine français.**

LES ADOS ET LES NOUVELLES BOISSONS

Selon une étude, 68 % des jeunes entre 10 et 18 ans consomment des boissons énergisantes. Une mode chez les 9-14 ans.

Avant, les amateurs en buvaient surtout en discothèque. On voit désormais ces boissons aussi sur le chemin du collège. « *Avec mes amis, on aime bien, c'est comme du chewing-gum* », raconte Julien. « *Moi, j'en bois quand je suis fatigué, ça redonne de l'énergie* » dit Renaud.

Une boisson énergisante contient des ingrédients (caféine, cocktail de vitamines, sucre) qui peuvent devenir dangereux quand ils sont consommés en grande quantité.

Dans une canette de boisson énergisante, il y a autant de caféine que dans 2 cafés (expresso). Résultat ? Les pays européens cherchent des solutions. Certains pays veulent interdire la vente aux mineurs, d'autres veulent indiquer les risques sur les boîtes, ou simplement augmenter le prix.

D'après www.geoado.com

Répondez aux questions.

1. D'après l'article, quel type de boisson est à la mode ? ▷ ..... / 1,5 point

....

2. D'après l'article, les nouveaux amateurs de ces boissons vont... ▷ ..... / 1 point

❏ à l'école. ❏ au travail. ❏ en salle de sport.

3. Vrai ou faux ? Cochez la case correspondante et recopiez la phrase ou la partie du texte qui justifie votre réponse. ▷ ..... / 1,5 point

	Vrai	Faux
Julien aime le goût de ces boissons.		
Justification :		

4. À quel moment Renaud boit-il les boissons décrites dans l'article ? ▷ ..... / 1,5 point

....

5. Vrai ou faux ? Cochez la case correspondante et recopiez la phrase ou la partie du texte qui justifie votre réponse. ▷ ..... / 1,5 point

	Vrai	Faux
Les ingrédients des boissons décrites dans l'article sont dangereux même en petites quantités.		
Justification :		

6. D'après l'article, certains pays européens veulent changer... ▷ ..... / 1 point

❏ le prix...
❏ la qualité...   ... des boissons en question.
❏ les ingrédients...

Compréhension **des écrits** ___ **Je m'entraîne** ___

7. **Vous lisez cet article sur un site Internet français.**

www.salon-litteraire.com

L'Enfant et la rivière, roman d'Henri Bosco

C'est une merveilleuse histoire d'amitié. On y découvre la beauté de la nature sauvage.
À partir de 11 ans. **Commentaires :** *Par Jean-Luc, le 24 octobre.*

« D'abord le style d'écriture d'Henri Bosco est vraiment magnifique, presque poétique. Henri Bosco connaît bien la langue française, et ses descriptions ne sont jamais ennuyeuses. Le vocabulaire de la nature est toujours bien choisi et on a très envie de connaître les personnages.
Les deux héros, des enfants abandonnés à eux-mêmes, sont vraiment sympathiques. On pense que c'est seulement une histoire de rivière, attirante et dangereuse, mais, en réalité, c'est une très belle histoire d'amitié entre deux enfants qui grandissent. J'ai vraiment adoré l'histoire. J'ai lu ce livre à 13 ans, et je le relis régulièrement même aujourd'hui, (j'ai 45 ans). L'histoire se passe en Provence et, moi aussi, je viens de cette région. J'aime beaucoup ce roman parce que les descriptions me rappellent les odeurs de la région de mon enfance. »

D'après www.salon-litteraire.com

Répondez aux questions.

1. Vrai ou faux ? Cochez la case correspondante et recopiez la phrase ou la partie du texte qui justifie votre réponse. ⊳ ..... / 1,5 point

	Vrai	Faux
Jean-Luc trouve qu'Henri Bosco écrit mal. Justification :		

2. D'après Jean-Luc, dans le roman, les deux enfants sont… ⊳ ..... / 1 point

❑ seuls.   ❑ en famille.   ❑ avec des amis.

3. Jean-Luc a… ⊳ ..... / 1 point

❑ détesté l'histoire.   ❑ mal compris l'histoire.   ❑ beaucoup aimé l'histoire.

4. Vrai ou faux ? Cochez la case correspondante et recopiez la phrase ou la partie du texte qui justifie votre réponse. ⊳ ..... / 1,5 point

	Vrai	Faux
Jean-Luc a lu le roman d'Henri Bosco une seule fois. Justification :		

5. Dans quelle région est-ce que Jean-Luc est né ? ⊳ ..... / 1,5 point

....

6. À quoi pense Jean-Luc quand il lit les descriptions dans le roman ? ⊳ ..... / 1,5 point

....

8. **Vous lisez cet article sur un site Internet français.**

www.ouest-france.fr

Les échecs à 10 ans

À 10 ans, Yann est un vrai champion d'échecs. Ses quatre frères sont joueurs. « *Mon frère m'a appris à jouer quand j'avais 3 ans. Lui, il en avait 8* ». Très vite, Yann a demandé à venir jouer au club d'échecs de la ville. Le président du Club se souvient : « *C'est très rare que des enfants de moins de 5 ans s'inscrivent chez nous. Pendant six mois, il a perdu toutes ses parties, jusqu'à sa première victoire, à l'âge de 4 ans* ». Pour progresser, en plus des cours au club, Yann prend des cours sur Internet avec un maître des échecs.

Aux échecs, il faut trois qualités : la connaissance des règles, l'intelligence et le calcul. « *Ma force à moi, c'est le calcul* » dit-il. « *Mes copains trouvent bizarre de jouer aux échecs, mais je suis un enfant comme les autres. Je joue au handball, et je déteste rester inactif. Je dois toujours avoir quelque chose à faire, sinon je m'ennuie. Pour moi, un week-end parfait, c'est un match de hand le samedi et un tournoi d'échecs le dimanche !* ».

D'après www.ouest-france.fr

Répondez aux questions.

1. Yann a appris à jouer aux échecs à quel âge ? ▷ ..... / 1 point

❑ 3 ans. ❑ 5 ans. ❑ 8 ans.

2. Vrai ou faux ? Cochez la case correspondante et recopiez
la phrase ou la partie du texte qui justifie votre réponse. ▷ ..... / 1,5 point

	Vrai	Faux
Au club d'échecs de sa ville, Yann a gagné dès sa première partie. Justification :		

3. Que fait Yann pour progresser dans son jeu ? ▷ ..... / 1 point

❑ Du sport dans un club.
❑ Des calculs sur Internet.
❑ Des cours avec un spécialiste.

4. Aux échecs, quelle est la plus grande qualité de Yann ? ▷ ..... / 1,5 point

....

5. Vrai ou faux ? Cochez la case correspondante et recopiez
la phrase ou la partie du texte qui justifie votre réponse. ▷ ..... / 1,5 point

	Vrai	Faux
Yann pense qu'il est un peu différent de ses copains. Justification :		

6. Quel sport Yann aime-t-il faire le week-end ? ▷ ..... / 1,5 point

....

Compréhension **des écrits** — **Je m'entraîne**

9. **Vous lisez cet article sur un site Internet français. Répondez aux questions.**

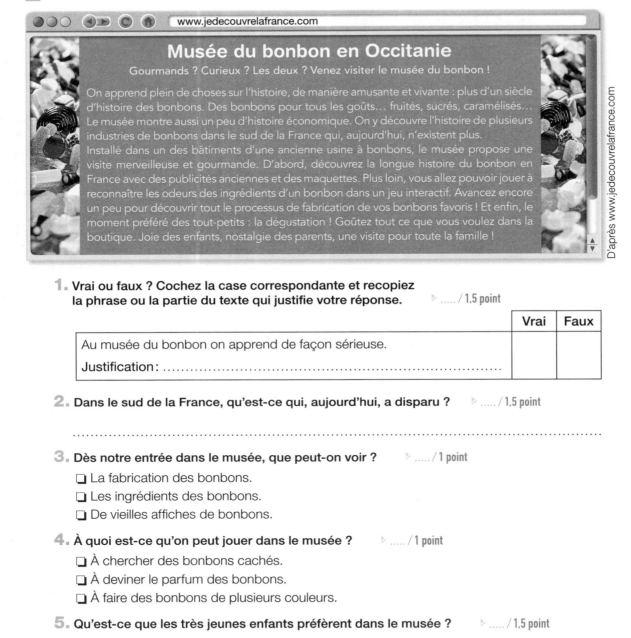

www.jedecouvrelafrance.com

Musée du bonbon en Occitanie
Gourmands ? Curieux ? Les deux ? Venez visiter le musée du bonbon !

On apprend plein de choses sur l'histoire, de manière amusante et vivante : plus d'un siècle d'histoire des bonbons. Des bonbons pour tous les goûts… fruités, sucrés, caramélisés… Le musée montre aussi un peu d'histoire économique. On y découvre l'histoire de plusieurs industries de bonbons dans le sud de la France qui, aujourd'hui, n'existent plus.
Installé dans un des bâtiments d'une ancienne usine à bonbons, le musée propose une visite merveilleuse et gourmande. D'abord, découvrez la longue histoire du bonbon en France avec des publicités anciennes et des maquettes. Plus loin, vous allez pouvoir jouer à reconnaître les odeurs des ingrédients d'un bonbon dans un jeu interactif. Avancez encore un peu pour découvrir tout le processus de fabrication de vos bonbons favoris ! Et enfin, le moment préféré des tout-petits : la dégustation ! Goûtez tout ce que vous voulez dans la boutique. Joie des enfants, nostalgie des parents, une visite pour toute la famille !

D'après www.jedecouvrelafrance.com

1. **Vrai ou faux ? Cochez la case correspondante et recopiez la phrase ou la partie du texte qui justifie votre réponse.** ▷ ..... / 1,5 point

	Vrai	Faux
Au musée du bonbon on apprend de façon sérieuse. Justification :		

2. **Dans le sud de la France, qu'est-ce qui, aujourd'hui, a disparu ?** ▷ ..... / 1,5 point

....

3. **Dès notre entrée dans le musée, que peut-on voir ?** ▷ ..... / 1 point
- ❏ La fabrication des bonbons.
- ❏ Les ingrédients des bonbons.
- ❏ De vieilles affiches de bonbons.

4. **À quoi est-ce qu'on peut jouer dans le musée ?** ▷ ..... / 1 point
- ❏ À chercher des bonbons cachés.
- ❏ À deviner le parfum des bonbons.
- ❏ À faire des bonbons de plusieurs couleurs.

5. **Qu'est-ce que les très jeunes enfants préfèrent dans le musée ?** ▷ ..... / 1,5 point

....

6. **Vrai ou faux ? Cochez la case correspondante et recopiez la phrase ou la partie du texte qui justifie votre réponse.** ▷ ..... / 1,5 point

	Vrai	Faux
Le musée est idéal pour les enfants et les adultes. Justification :		

10. Vous lisez cet article sur un site Internet français. Répondez aux questions.

www.imsentreprendre.com

Un Jour, Un Métier

Le projet *Un Jour, Un Métier* permet aux collégiens de découvrir de nouveaux métiers et univers professionnels pour, plus tard, leur permettre de mieux choisir leurs études. Les jeunes ont parfois des difficultés à imaginer le monde du travail et peu de jeunes sont au contact des entreprises. Ils ne connaissent pas les habitudes et les règles des entreprises.

Dans ce projet, des entreprises peuvent accueillir pendant une journée, 15 à 30 collégiens pour leur montrer différentes professions.

Le projet est divisé en 3 moments :
>> **Avant :** une formation pédagogique pour les employés de l'entreprise qui vont accueillir les collégiens.
>> **Pendant :** une visite de l'entreprise avec des explications sur son activité et ses métiers ; des conversations, en petits groupes, entre collégien(ne)s et employé(e)s.
>> **Après :** le récit de la journée : un exposé en classe pour présenter l'entreprise et un questionnaire à remplir pour donner son avis sur le projet.

Vous souhaitez faire participer votre entreprise ou votre collège à ce projet ?
Vous êtes salarié ? Cliquez ici.   **Vous êtes collégiens ? Cliquez ici.**

D'après www.imsentreprendre.com

1. Avec le projet *Un jour, Un Métier*, que peuvent découvrir les collégiens ? ..... / 1,5 point

....

2. D'après l'article, les jeunes… ..... / 1 point

❑ ne connaissent pas le monde du travail.

❑ ne s'intéressent pas au monde du travail.

❑ n'ont pas de difficulté à imaginer le monde du travail.

3. Avec le projet *Un jour, Un Métier*, les collégiens peuvent rester dans l'entreprise pendant combien de temps ? ..... / 1,5 point

....

4. Vrai ou faux ? Cochez la case correspondante et recopiez la phrase ou la partie du texte qui justifie votre réponse. ..... / 3 points

	Vrai	Faux
a. Les travailleurs sont préparés à recevoir des collégiens sur leur lieu de travail. Justification :		
b. Le projet prévoit des moments de dialogue entre employés et adolescents. Justification :		

5. Pour dire ce qu'ils ont pensé du projet, les collégiens… ..... / 1 point

❑ font un exposé.

❑ remplissent un questionnaire.

❑ parlent aux employés de l'entreprise.

11. **Vous lisez cet article sur un site Internet français. Répondez aux questions.**

●●○ ◀▶ C ⌂ www.videocityparis.com

Vidéo City Paris : le premier salon des youtubeurs*

YouTube est devenu un véritable phénomène ! Chaque minute dans le monde, 300 heures de vidéo sont mises en ligne, pour plus d'un milliard de visiteurs par mois.

Dans les collèges, les youtubeurs sont des stars et ont des groupes de fans. Ils ne sont pourtant pas professionnels. Ils se filment dans leur chambre ou leur salle de bains. Ils racontent des blagues, testent des jeux vidéo, montrent des produits de maquillage. Bref, ils sont partout, et les ados les adorent. Ce salon exceptionnel réunit 120 youtubeurs français. Sur 12 000 mètres carrés, on peut voir en vrai les youtubeurs les plus connus dans plusieurs catégories : beauté, jeux, humour, sport et cuisine... Ils présentent leurs vidéos, signent des autographes et se laissent prendre en photo avec leurs fans. Le salon offre aussi des activités interactives. On peut se filmer dans la copie de la chambre d'un youtubeur, et devenir peut-être la future star de YouTube !

7 et 8 novembre à Paris.

Pass 1 jour : 20 € ; **Pass 2 jours :** 35 €. Plus d'infos sur www.videocityparis.com.

* Youtubeur : personne qui fait des vidéos et les poste sur les réseaux sociaux d'Internet

> Certains mots du document que vous devez lire sont expliqués à la fin du texte. La petite étoile à côté du mot s'appelle « un astérisque ». Vous retrouvez l'astérisque après la source du document, avec une explication du mot.

1. Selon l'article, 300 heures de vidéo sont publiées sur YouTube...   ▷ ..... / 1 point

❑ tous les mois.   ❑ toutes les heures.   ❑ toutes les minutes.

2. Vrai ou faux ? Cochez la case correspondante et recopiez la phrase ou la partie du texte qui justifie votre réponse.   ▷ ..... / 1,5 point

	Vrai	Faux
Les youtubeurs stars filment dans des studios professionnels. Justification :		

3. Que font les youtubeurs quand ils se filment ?   ▷ ..... / 1,5 point
(Plusieurs réponses possibles, une seule attendue.)

....

4. Vrai ou faux ? Cochez la case correspondante et recopiez la phrase ou la partie du texte qui justifie votre réponse.   ▷ ..... / 1,5 point

	Vrai	Faux
Le salon a invité des youtubeurs du monde entier. Justification :		

5. Les youtubeurs et leurs fans peuvent, ensemble,...   ▷ ..... / 1 point

❑ écrire un article.   ❑ faire des photos.   ❑ réaliser une vidéo.

6. Au salon, dans quel lieu original peut-on se filmer ?   ▷ ..... / 1,5 point

....

12. Vous lisez cet article dans un magazine français. Répondez aux questions.

www.le-monde-des-ados.com

Logique, méthode et humour !

Tu détestes faire des exposés en classe ? Voici quelques conseils qui peuvent t'aider.

1. Carte mentale
➡ Dessine un cercle et écris au milieu le thème de ton exposé.
➡ Note autour toutes les idées qui te viennent.
Tu peux poser des questions à tes parents pour avoir plus d'idées.

2. Préparation
➡ Réunis des informations et des documents trouvés sur Internet.
➡ Écris un plan avec des numéros. Classe tes idées de la plus importante à la moins importante.
➡ Après, quand tu sais exactement ce que tu vas dire, écris ton introduction et ta conclusion.
CONSEIL : Écris gros pour pouvoir lire, et choisis des couleurs différentes pour les mots-clés.
Tu peux souligner par exemple les noms que tu ne dois pas oublier.

3. Présentation
➡ Entraîne-toi, comme un acteur, répète ton texte devant tes copains ou tes parents.
➡ Dessine des ronds sur tes notes pour signaler les pauses, pour respirer ou regarder ton public.
➡ Pendant l'exposé, essaie de regarder tous les élèves, pas seulement le professeur.
➡ Un peu d'humour de temps en temps peut t'aider !

D'après www.Le-monde-des-ados.com

1. Cet article donne des conseils pour... ▷ ..... / 1 point

❏ organiser ses cours de collège.

❏ faire une présentation en classe.

❏ apprendre une leçon avant un examen.

2. Vrai ou faux ? Cochez la case correspondante et recopiez la phrase ou la partie du texte qui justifie votre réponse. ▷ ..... / 1,5 point

	Vrai	Faux
Pour faire une carte mentale, les parents peuvent aider. Justification :		

3. Au moment de la préparation, tu dois classer tes idées de quelle façon ? ▷ ..... / 1,5 point

....

4. Qu'est-ce qu'il est conseillé d'utiliser pour indiquer les mots-clés ? ▷ ..... / 1,5 point

....

5. Dans l'article, il est conseillé de faire des ronds sur sa feuille de papier pour se rappeler quand... ▷ ..... / 1 point

❏ faire des pauses. ❏ écrire au tableau. ❏ raconter une blague.

6. Vrai ou faux ? Cochez la case correspondante et recopiez la phrase ou la partie du texte qui justifie votre réponse. ▷ ..... / 1,5 point

	Vrai	Faux
Le jour de l'exposé, il est conseillé de regarder surtout le professeur. Justification :		

Pour chaque compétence, cochez le dessin qui vous correspond le mieux.

1. Je comprends des lettres et courriels personnels.

2. Je localise les informations importantes dans des documents écrits.

3. Je comprends des instructions, des modes d'emploi et des recettes.

4. Je comprends des règlements dans des lieux publics.

Vous avez coché tous les dessins de la colonne de droite ?
▶ Bravo ! Vous êtes un Super A2 en compréhension des écrits !
▶ Sinon, refaites les exercices correspondants et, vous aussi, devenez un Super A2 !

Production **écrite**

Production **écrite** — Je découvre

1. Observez le document de la page 7 et répondez aux questions.

1. L'épreuve de production écrite fait partie…
- ❏ des épreuves collectives.
- ❏ des épreuves individuelles.

2. Combien de temps dure l'épreuve de production écrite ?
- ❏ 25 minutes.
- ❏ 30 minutes.
- ❏ 45 minutes.

3. Vrai ou faux ? Dites si les affirmations suivantes sont vraies ou fausses. Recopiez la phrase qui vous a permis de répondre.

	Vrai	Faux
a. L'épreuve de production écrite est composée de 3 exercices.	❏	❏

....

	Vrai	Faux
b. Dans l'épreuve de production écrite, on doit écrire une lettre à un ami.	❏	❏

....

4. Pour faire l'épreuve de production écrite, il faut savoir…
- ❏ **a.** s'excuser.
- ❏ **b.** faire une invitation.
- ❏ **c.** décrire un événement.
- ❏ **d.** féliciter une personne.
- ❏ **e.** faire des remerciements.
- ❏ **f.** donner des informations.
- ❏ **g.** décrire une expérience personnelle.
- ❏ **h.** demander quelque chose à quelqu'un.

2. Lisez les textes suivants puis associez chacun à une action.

1
Salut,
Est-ce que tu peux me donner les devoirs à faire pour demain s'il te plaît ?
Merci !

2
Samedi, c'est mon anniversaire ! J'organise une fête chez moi à partir de 18 heures J'espère que tu vas venir !

3 Je te remercie beaucoup pour ton invitation.

Je pense venir avec mon frère.

À bientôt !

4 Salut !
Alors tu as réussi le concours de chant !

Bravo ! Je te félicite !

5 Bonjour,
Je suis désolée mais je ne peux pas venir ce soir au cours de théâtre.

6 Lundi dernier, c'était mon premier jour de collège ! J'avais un peu peur mais mes profs sont super sympas !

7 Ce week-end, c'était la fête de la musique.

C'était super !

8 Salut,
Je t'écris pour te dire que demain le prof d'histoire-géo est absent. Donc on peut commencer les cours à 10 heures.
À demain !

	Actions	Texte n°
Exercice 1	**a.** Décrire un événement.	....
	b. Décrire une expérience personnelle.	....
Exercice 2	**c.** Demander.	....
	d. Féliciter.	....
	e. Informer.	....
	f. Inviter.	....
	g. Remercier.	....
	h. S'excuser.	....

Organisez bien votre temps !

1. Lisez **plusieurs fois** le sujet et **entourez** les mots importants.

2. Écrivez au **brouillon** vos idées et rédigez. **Relisez** votre brouillon et demandez-vous si vous avez bien répondu au sujet. **Comptez le nombre de mots** que vous avez écrits.

3. Recopiez **soigneusement** votre production au **stylo bleu ou noir** sur la feuille d'examen.

4. Relisez et soyez attentif/attentive à l'**orthographe** et à la **grammaire**.

5. Il y a deux exercices de production écrite à faire en 45 minutes, alors il faut bien **équilibrer votre temps** !

Partie A. Décrire un événement ou raconter une expérience personnelle

/ 13 points

Dans ce 1er exercice, vous devez décrire un événement ou raconter une expérience personnelle. Par exemple, vous racontez une fête, vos vacances, un moment de la journée, etc. Vous devez généralement écrire au passé et vous devez toujours donner vos impressions, exprimer vos sentiments vos émotions, dire ce que vous avez aimé ou pas et expliquer pourquoi. Enfin, vous devez écrire au minimum 60 mots.

1. Observez le sujet ci-dessous puis répondez aux questions.

Hier, vous avez fait une sortie avec votre classe. Vous écrivez une lettre à un de vos amis francophones pour lui raconter cette sortie. Vous lui expliquez où vous êtes allé(e) et ce que vous avez fait. Vous donnez vos impressions sur cette sortie. _(60 mots minimum)_

≫ Comprendre le sujet

1. Quel est le thème du sujet ?

- ❑ **a.** Raconter des vacances en famille.
- ❑ **b.** Raconter un week-end entre amis.
- ❑ **c.** Raconter une sortie avec sa classe.

2. Vous devez écrire à…

- ❑ **a.** un ami.
- ❑ **b.** des amis.
- ❑ **c.** des internautes (lecteurs d'Internet).
- ❑ **d.** une personne que vous ne connaissez pas.
- ❑ **e.** des personnes que vous ne connaissez pas.

3. Vous devez écrire quel type de texte ?

- ❑ **a.** Une lettre.
- ❑ **b.** Une carte postale.
- ❑ **c.** Un courriel/un e-mail.
- ❑ **d.** Un petit texte sur un forum Internet.
- ❑ **e.** Un petit article dans le journal de l'école ou sur un blog.

4. Voici des mots du sujet. Soulignez-les dans le sujet puis classez-les dans leur ordre d'apparition dans le sujet.

	Position n°			Position n°
a. ce que vous avez fait	………		**e.** où	………
b. classe	………		**f.** raconter	………
c. hier	….1….		**g.** sortie	………
d. impressions	………			

5. Vous devez écrire pour…

- ❏ **a.** expliquer quelque chose.
- ❏ **b.** donner vos impressions.
- ❏ **c.** situer un événement.
- ❏ **d.** situer un objet, une personne, un lieu (précisez quoi : ………).
- ❏ **e.** décrire (précisez quoi : ………).
- ❏ **f.** raconter (précisez quoi : ………).

» Adapter/Préparer sa production

1. Votre production doit être…

- ❏ **a.** formelle.
- ❏ **b.** amicale.

2. Dans votre production, vous devez utiliser…

- ❏ **a.** « vous » (de politesse).
- ❏ **b.** « tu » (ami, connaissance).
- ❏ **c.** « vous » (amis, connaissances).

3. Dans votre production il doit y avoir… (Plusieurs réponses possibles.)

- ❏ **a.** un titre.
- ❏ **b.** une date.
- ❏ **c.** des salutations.
- ❏ **d.** des formules de politesse.

4. Dans votre production vous devez utiliser…

- ❏ **a.** l'imparfait.
- ❏ **b.** le futur proche.
- ❏ **c.** le passé composé.
- ❏ **d.** le présent de l'indicatif.

> Un mot est un ensemble de signes placé entre deux espaces.
> « c'est-à-dire » = 1 mot
> « parce que » = 2 mots
> « il y a » = 3 mots
> « J'ai eu 12 ans » = 4 mots

5. Vous devez écrire combien de mots ?

- ❏ **a.** 60 mots ou plus.
- ❏ **b.** Moins de 60 mots.

> 60 mots minimum veut dire que vous devez écrire 60 mots : pas moins ! Mais vous pouvez écrire plus de mots !

6. Observez ce message. Il y a combien de mots ?

> Bonjour,
> Je m'appelle Isadora. J'ai 13 ans et je suis grecque. J'habite à Patras, en Grèce et j'étudie le français au collège. J'aime aller au cinéma et faire du sport. Je pratique le volley-ball. J'adore ça !
> Et toi ? Écris-moi vite !
> À bientôt,
> Isadora

……… mots.

>> **Préparer son brouillon**

Lisez ces éléments du sujet. Associez à chacun d'eux une ou plusieurs phrases de a. à g.

1. où vous êtes allé(e) : ....
2. un de vos amis francophones : ....
3. ce que vous avez fait : ....
4. vos impressions : ....

a. C'était génial !
b. J'ai trouvé ça horrible !
c. On a visité le Palais Longchamp.
d. La ville était splendide !
e. Nous sommes allés à Marseille.
f. Salut Amélie !
g. On s'est promené sur le Vieux-Port.

>> **Analyser une production écrite**

| **Exercice 1** | ... / 13 points |

Hier, vous avez fait une sortie avec votre classe. Vous écrivez une lettre à un de vos amis francophones pour lui raconter cette sortie. Vous lui expliquez où vous êtes allé(e) et ce que vous avez fait. Vous donnez vos impressions sur cette sortie.

60 mots minimum

Salut Inès !

Comment vas-tu ? Tu sais, la semaine dernière, j'ai fait une sortie avec ma classe.
C'était génial !

On est allé à Milan. On a visité le « Duomo » et le « Castello Sforzesco ». Ce château
est magnifique !

On a mangé une pizza à midi. C'était la meilleure pizza du monde !

On a dormi dans un hôtel 5 étoiles ! Ma chambre était très grande et très belle.

C'était super bien ! La prochaine fois, on ira ensemble si tu veux ?

À bientôt, bisous.

Sofia

1. Observez cette copie. La candidate a écrit...

  ❏ **a.** moins de 60 mots.
  ❏ **b.** 60 mots.
  ❏ **c.** plus de 60 mots.

2. Mettez une croix dans le tableau suivant comme dans l'exemple :

La candidate...	OUI	NON
a. écrit à un(e) ami(e).	☒	❏
b. dit pourquoi elle écrit.	❏	❏
c. raconte une sortie avec sa classe.	❏	❏
d. explique où elle est allée.	❏	❏
e. dit avec qui elle était.	❏	❏
f. raconte ce qu'elle a fait.	❏	❏
g. donne ses impressions sur la sortie.	❏	❏

C'est parti !

2. Vous avez perdu votre sac. À l'intérieur, il y avait toutes vos affaires personnelles. Vous écrivez un courriel à votre ami francophone pour lui raconter où et comment cela est arrivé. Vous lui dites quelle a été votre réaction, ce qu'il y avait dans votre sac et ce que vous avez fait ensuite. *(60 mots minimum)*

[> Pour raconter un événement passé, allez page 141.]

3. Vous venez de passer une semaine de vacances. Vous écrivez une carte postale à un ami francophone pour lui raconter votre séjour et lui donner vos impressions. *(60 mots minimum)*

[> Pour parler des vacances, allez page 139.]

4. Le week-end dernier, vos parents ont organisé une fête surprise pour vous. Vous écrivez un courriel à un ami francophone pour lui raconter cette fête (jour, lieux, personnes présentes, etc.). Vous lui donnez vos impressions sur cette fête. *(60 mots minimum)*

[> Pour parler d'un événement, allez page 139.]

5. Vous venez de passer une journée fantastique. Vous décidez d'écrire un courriel à votre ami francophone pour lui raconter votre journée et lui dire pourquoi elle était fantastique. *(60 mots minimum)*

[> Pour parler des moments de la journée, allez page 139.]

6. Vous avez fait un rêve étrange. Vous décidez d'écrire un courriel à votre meilleur ami français pour décrire votre rêve et pour donner vos impressions. *(60 mots minimum)*

[> Pour raconter un rêve, allez page 141.]

7. Vous avez assisté à un concert. Vous n'êtes pas content(e) : le concert a commencé en retard et vous n'avez pas beaucoup aimé les musiciens. Vous écrivez un courriel à votre ami francophone pour lui raconter cette mauvaise soirée. *(60 mots minimum)*

[> Pour donner ses impressions, allez page 141.]

8. Hier, ce n'était pas une bonne journée pour vous. Vous écrivez un courriel à votre meilleur ami francophone pour lui raconter votre journée et dire ce que vous avez ressenti. *(60 mots minimum)*

> Pour donner ses impressions, allez page 141.

9. Samedi après-midi, vous êtes allé(e) à la fête d'anniversaire d'un de vos amis. Vous écrivez un courriel à votre ami francophone pour lui raconter cet après-midi. Vous lui parlez des invités et des activités organisées. Vous lui dites aussi ce que vous avez offert à votre ami et ce que vous avez pensé de cet après-midi. *(60 mots minimum)*

> Pour parler des événements, allez page 139.

10. Vous avez assisté à un événement sportif le week-end dernier. Vous écrivez un courriel à un de vos amis francophones pour lui raconter cette journée. Vous lui dites quel était cet événement sportif, où c'était et ce que vous avez fait. Vous lui donnez vos impressions sur cette journée. *(60 mots minimum)*

> Pour parler du sport, allez page 138.

11. Chaque semaine, pour le journal de votre école, vous écrivez un court article. Cette semaine, vous devez raconter votre première rencontre avec un Français. Vous expliquez qui c'était, où et quand vous l'avez rencontré. Vous donnez vos impressions sur cette rencontre. *(60 mots minimum)*

> Pour décrire une personne, allez page 136.

12. Vous avez retrouvé un ami de classe après plusieurs années. Vous avez passé une journée avec lui. Vous écrivez un courriel à votre correspondant francophone pour lui raconter cette journée. Vous dites ce que vous avez fait et pourquoi vous avez aimé cette journée. *(60 mots minimum)*

> Pour parler des moments de la journée, allez page 139.

13. Pendant la dernière semaine avant la fin de l'année scolaire, des activités spéciales ont été organisées dans votre école (après-midi dansants, spectacles, activités sportives…). Vous écrivez un courriel à votre correspondant francophone pour lui raconter ce que vous avez fait pendant cette semaine. Vous dites ce que vous avez aimé et pourquoi. *(60 mots minimum)*

> Pour expliquer un programme, allez page 141.

14. Pour le site Internet de votre classe, votre professeur de français vous demande de raconter, dans un petit article, votre première journée au collège/lycée avec votre correspondant francophone. Vous racontez ce que vous avez fait et comment était cette première journée. *(60 mots minimum)*

> Pour parler de l'école, allez page 138.

15. Aujourd'hui, vous avez fait une présentation devant toute la classe. Vous écrivez un courriel à votre meilleur ami francophone pour dire quelle présentation vous avez faite et pour lui raconter comment cela s'est passé. *(60 mots minimum)*

> Pour donner des impressions, allez page 141.

16. Vous étudiez en France. Un de vos amis de classe était malade et n'est pas venu hier en classe. Vous écrivez un courriel à cet ami pour lui raconter votre journée au collège/lycée. Vous lui expliquez aussi ce que vous avez fait en classe et les devoirs que vous devez faire pour demain. *(60 mots minimum)*

[> **Pour parler des matières scolaires, allez page 138.**]

17. Aujourd'hui, en classe, vous avez parlé des fêtes de famille. Votre professeur de français vous demande d'écrire un petit article sur ce thème pour le publier sur le site Internet du collège/lycée. Vous décrivez un événement familial que vous aimez fêter et vous expliquez pourquoi. *(60 mots minimum)*

[> **Pour parler de la famille, allez page 136.**]

18. Chaque semaine, votre magazine francophone préféré publie des avis de lecteurs sur un thème. Cette semaine le sujet est « Que pensez-vous des animaux domestiques ? ». Vous écrivez un petit article à ce sujet. Vous répondez à la question et donnez vos impressions sur les animaux domestiques. *(60 mots minimum)*

[> **Pour parler des animaux, allez page 139.**]

19. Vous avez gagné trois places dans un restaurant très célèbre. Vous écrivez un courriel à un ami francophone pour lui raconter ce repas. Vous dites avec qui vous êtes allé(e) et vous expliquez ce que vous avez mangé. Vous donnez vos impressions sur les plats que vous avez dégustés. *(60 mots minimum)*

[> **Pour parler de la nourriture, allez page 139.**]

20. Vous êtes allé(e) voir votre chanteur/chanteuse préféré(e) en concert. Vous écrivez un courriel à votre ami francophone pour lui raconter cette soirée. Vous lui dites qui vous avez vu en concert, quand et comment c'était. *(60 mots minimum)*

[> **Pour donner ses impressions, allez page 141.**]

21. Vous étiez dans un magasin et vous avez assisté à un vol. Vous écrivez un courriel à un ami francophone pour lui raconter ce moment. Vous lui dites quand cela s'est produit et les choses que le voleur a prises. Vous lui expliquez ce qui s'est passé ensuite et vous lui donnez vos impressions. *(60 mots minimum)*

[> **Pour parler des commerces, allez page 138.**]

22. Avec votre classe, vous avez visité une entreprise. Vous écrivez un courriel à votre ami francophone pour lui dire quelle entreprise vous avez visitée et pour lui expliquer comment s'est passée votre journée : les personnes que vous avez rencontrées et les choses que vous avez faites. Vous donnez vos impressions sur cette journée en entreprise. *(60 mots minimum)*

[> **Pour parler des professions, allez page 136.**]

23. Vous avez participé à un salon des métiers. Vous écrivez un courriel à un de vos amis francophones pour lui raconter cette journée. Vous lui dites les personnes que vous avez rencontrées et les métiers que vous avez découverts. Vous lui donnez vos impressions sur cette journée. *(60 mots minimum)*

> > Pour parler des professions, allez page 136.

24. Vous lisez cette annonce dans un magazine francophone :

Thème de la semaine : Votre meilleur souvenir

Votre plus beau souvenir, c'était quand ? C'était où ? Vous étiez seul ou accompagné ? Qu'est-ce que vous avez fait ?

Envoyez votre article à votre magazine *AdosMonde*.

Vous écrivez un article pour raconter votre plus beau souvenir. Vous expliquez quand et où c'était, avec qui vous étiez et ce que vous avez fait. Vous expliquez pourquoi c'est votre plus beau souvenir. *(60 mots minimum)*

> > Pour raconter un événement passé, allez page 141.

25. Avec votre famille, vous avez changé de maison. Vous écrivez un courriel à votre ami francophone pour lui raconter quand et comment s'est passé votre déménagement. Vous donnez vos impressions sur votre nouveau logement et vous le décrivez. *(60 mots minimum)*

> > Pour parler du logement, allez page 136.

26. Vous avez joué un petit rôle dans un film lors d'un tournage dans votre ville. Vous écrivez un courriel à votre ami francophone pour lui raconter cette journée. Vous dites quel genre de film c'était, quels étaient les acteurs et ce que vous avez fait pendant le tournage (votre rôle, comment vous étiez habillé(e), ce que vous avez dû faire etc.). Vous donnez vos impressions sur l'ambiance du tournage. *(60 mots minimum)*

> > Pour parler des genres des films, allez page 137.

Partie **B.** # Inviter, remercier, s'excuser, demander, informer, féliciter

/ 12 points

Dans ce 2ᵉ exercice, vous écrivez un message pour proposer, donner ou demander une information. Vous répondez généralement à un message (une carte postale, un courriel, une lettre, etc.) et devez inviter, remercier, vous excuser, demander, informer et/ou féliciter. Vous devez écrire au minimum 60 mots.

1. Observez le sujet ci-dessous puis répondez aux questions.

Vous avez reçu ce courriel de votre amie Sarah.

> **De :** sarah@mel.fr
>
> **Objet : Invitation**
>
> *Salut !*
> *Comment ça va ? Tu veux venir avec moi demain au concert du chanteur Stromae ? Il me reste une place. Réponds-moi vite !*
> *Sarah*

Vous répondez à Sarah. Vous ne pouvez pas accepter son invitation. Vous vous excusez et vous lui expliquez pourquoi vous ne pouvez pas venir. Vous lui proposez une autre sortie.
(60 mots minimum)

» Comprendre le sujet

1. Lisez le courriel et la consigne. Vous devez écrire un courriel à une amie pour...

☐ **a.** l'inviter à un concert.

☐ **b.** lui raconter un concert.

☐ **c.** répondre à son invitation à un concert.

2. Votre courriel doit être...   ☐ **a.** formel.   ☐ **b.** amical.

3. Dans votre courriel, il doit y avoir...

☐ **a.** une date.   ☐ **b.** des salutations.   ☐ **c.** des formules de politesse.

4. Dans votre courriel, vous devez...

☐ **a.** inviter.   ☐ **e.** donner des informations.

☐ **b.** remercier.   ☐ **f.** expliquer.

☐ **c.** vous excuser.   ☐ **g.** féliciter.

☐ **d.** demander.   ☐ **h.** proposer.

5. Dans votre courriel, vous devez utiliser...

☐ **a.** le présent de l'indicatif.   ☐ **c.** l'imparfait.

☐ **b.** le passé composé.   ☐ **d.** le futur proche.

> **N'oubliez pas !** Un mot est un ensemble de signes placé entre deux espaces :
> « c'est-à-dire » = 1 mot
> « parce que » = 2 mots
> « il y a » = 3 mots
> « J'ai eu 12 ans » = 4 mots

6. Vous devez écrire combien de mots minimum ?

.... mots

>> Préparer son brouillon

Lisez ces éléments du sujet. Associez à chacun d'eux une ou plusieurs phrases de a. à d.

1. Vous ne pouvez pas accepter son invitation : ....

2. Vous vous excusez : ....

3. Vous lui expliquez pourquoi : ....

4. Vous lui proposez une autre sortie : ....

a. On peut aller au cinéma jeudi ?

b. Je suis désolée.

c. Je vais dîner chez mon oncle et ma tante.

d. Je ne peux pas venir.

>> Analyser une production écrite

Lisez la production de Mathilde. Mettez une croix dans le tableau suivant comme dans l'exemple.

> Salut Sarah !
>
> Je suis désolée pour demain soir, je ne peux pas venir parce que je vais dîner avec
>
> mes parents chez mon oncle et ma tante.
>
> Si tu veux, on peut aller au cinéma ensemble jeudi ? Après, on pourrait aller dans
>
> le jardin à côté de chez moi ? Je suis vraiment désolée !
>
> Bisous,
>
> Mathilde

La candidate...	OUI	NON
a. salue Sarah au début de son message.	☒	❏
b. répond à sa 1ʳᵉ question.	❏	❏
c. remercie Sarah pour son invitation.	❏	❏
d. répond à sa 2ᵉ question.	❏	❏
e. s'excuse et donne une explication.	❏	❏
f. propose à Sarah une sortie.	❏	❏
g. précise le type de sortie.	❏	❏
h. précise le jour de la sortie.	❏	❏
i. salue Sarah à la fin de son message.	❏	❏

2. Vous n'avez pas pu aller à l'anniversaire d'un ami francophone. Vous lui envoyez un e-mail pour vous excuser et lui donner une explication. Vous lui proposez un autre rendez-vous pour lui offrir son cadeau. *(60 mots minimum)*

[> Pour s'excuser, allez page 142.]

3. Un ami francophone est arrivé dans votre ville avec sa famille pour quelques jours. Vous n'avez pas pu l'accueillir à l'aéroport. Vous lui écrivez un courriel pour vous excuser et pour expliquer pourquoi vous n'avez pas pu venir à l'aéroport. Vous lui proposez une sortie un jour de la semaine. *(60 mots minimum)*

[> Pour proposer une activité, allez page 142.]

4. Vous êtes en Belgique. Vous avez reçu cet e-mail d'une amie. Elle étudie le français dans une nouvelle école de langues.

De : sofia15@hotmail.com

Objet : **repas international**

Salut !
Vendredi midi, nous organisons un repas international à l'école de langue. Tous les élèves vont apporter des plats de leur pays.
On peut inviter une personne. J'ai pensé à toi ! Tu peux venir ? Tu dois juste apporter une boisson ou de la nourriture et arriver à l'école vendredi, à 11 h 30.
Bisous,
Sofia

Vous répondez à Sofia. Vous la remerciez et vous acceptez sa proposition. Vous lui demandez ce qu'elle va apporter pour le repas et où se trouve exactement son école. Vous lui dites aussi ce que vous allez apporter (à boire et/ou à manger). *(60 mots minimum)*

[> Pour remercier, allez page 142.]

5. Un de vos amis francophones fait un concert samedi soir. Il vous invite à venir le voir. Malheureusement vous n'êtes pas disponible. Vous écrivez un e-mail à cet ami. Vous refusez son invitation, vous vous excusez et vous expliquez pourquoi vous ne pouvez pas venir. Vous proposez une autre sortie à un autre moment. *(60 mots minimum)*

[> Pour refuser une invitation, allez page 142.]

6. Un de vos amis francophones vient de réussir un examen. Il organise une fête et vous êtes invité(e). Vous lui écrivez un e-mail pour le féliciter et le remercier pour son invitation. Vous lui demandez les informations nécessaires sur la fête (jour, heure, lieux, choses à apporter…). *(60 mots minimum)*

[> Pour féliciter, allez page 142.]

7. Vous avez reçu cet e-mail d'une amie francophone :

> De : adele1999@hotmail.com

> Objet : **Fin des cours !**

> Salut les copains !
> C'est bientôt la fin de l'année et les cours sont presque finis ! J'aimerais bien fêter cet événement avec vous. Qu'en pensez-vous ?
> Si vous êtes d'accord, rendez-vous samedi à partir de 15 heures chez moi, au 36 rue des abeilles.
> Vous pouvez m'envoyer un e-mail pour me dire si vous allez venir à cette fête ?
> Bisous
> Adèle

Vous répondez à Adèle. Vous la remerciez et vous acceptez sa proposition. Vous lui demandez ce que vous pouvez apporter à la fête et si vous pouvez venir avec d'autres personnes. Vous voulez aussi savoir comment faire pour aller chez elle. *(60 mots minimum)*

[> Pour accepter une invitation, allez page 142.]

8. Vous avez reçu cet e-mail d'un ami francophone :

> De : ludo_vic@gmail.com

> Objet : **samedi soir**

> Salut !
> Tu vas bien ? Samedi soir, on va au cinéma avec Max et Jojo, tu viens avec nous ?
> Après, on va aller boire un verre au Café bleu près de chez moi. On retrouve Léa et sa sœur.
> Tu viens ?
> À plus !
> Ludo

Vous répondez à Ludo. Vous confirmez votre venue au cinéma samedi soir. Vous demandez à Ludo des précisions sur votre rendez-vous (horaires, lieu de rendez-vous et film). Vous lui précisez que vous ne pouvez pas aller au café après le cinéma. Vous vous excusez et vous expliquez pourquoi vous ne pouvez pas. *(60 mots minimum)*

[> Pour s'informer sur un rendez-vous, allez page 141.]

9. Vous avez reçu une invitation pour le mariage de la sœur de votre amie française, Julie. Vous écrivez à Julie pour la remercier et pour accepter son invitation. Vous lui demandez quand et où a lieu le mariage. Vous voulez également savoir comment vous allez vous organiser pour y aller. *(60 mots minimum)*

[> Pour accepter une invitation, allez page 142.]

10. Vous avez reçu cet e-mail de votre ami Stanislas :

De : stanis@gmail.com

Objet : mariage

Salut !
Comment vas-tu ? C'est bientôt le mariage de mon frère et je voudrais être beau pour son mariage.
Est-ce que tu veux bien venir avec moi mercredi après-midi pour m'aider à choisir des vêtements ? C'est les soldes, il y a plein de promotions alors profitons-en !
À mercredi j'espère !
Stan

Vous répondez à Stanislas. Vous vous excusez et vous expliquez pourquoi vous ne pouvez pas l'accompagner mercredi après-midi. Vous lui proposez un autre rendez-vous. Vous lui donnez quelques idées de vêtements à mettre pour un mariage et vous lui donnez de bonnes adresses de magasins. *(60 mots minimum)*

> Pour conseiller, allez page 142.

11. Vous avez reçu cet e-mail de votre ami Lucas :

De : lucas@yahoo.fr

Objet : Fête !

Salut,
Je suis accepté en « section sportive scolaire », c'est-à-dire que je vais avoir des entraînements de basket-ball tous les jours après les cours ! Je suis super content !
Pour fêter ça, j'organise une petite fête chez moi demain soir. Tu viens ? Réponds-moi vite !
Lucas

Vous répondez à Lucas. Vous le félicitez et vous acceptez son invitation. Vous lui demandez des précisions sur l'heure de la fête et les personnes invitées. Vous lui dites ce que vous allez apporter pour la fête. *(60 mots minimum)*

> Pour poser des questions sur une durée, allez page 141.

12. Vous habitez en France. Dans la boulangerie de votre quartier, vous trouvez cette annonce :

Professeur de français, donne cours pour étudiants étrangers.
pour connaître les tarifs et les horaires, écrivez-moi ! pierreFLE@hotmail.com
Pierre

Vous écrivez à Pierre. Vous lui expliquez pourquoi vous souhaitez suivre des cours de français. Vous vous renseignez sur ses cours (prix, durée, jours, lieu). *(60 mots minimum)*

> Pour demander un prix, allez page 140.

13. Vous avez reçu cet e-mail de votre amie Éloïse :

> **De :** helo@hotmail.fr

> **Objet :** **Visite de Paris**

> *Salut,*
> *J'espère que tu vas bien. Une de mes amies va bientôt venir dans ta ville. Elle aimerait se promener avec une personne de notre âge.*
> *Est-ce que je peux la mettre en contact avec toi ? Tu vas pouvoir parler français avec elle !*
> *Réponds-moi vite.*
> *Bisous,*
> *Éloïse*

Vous répondez à Éloïse. Vous acceptez de faire visiter votre ville à son amie. Vous demandez des précisions sur les dates d'arrivée et de départ de son amie. Vous indiquez vos disponibilités en fonction de votre emploi du temps à l'école. Vous demandez aussi quels sont les goûts de son amie et ce qu'elle aime faire. *(60 mots minimum)*

> \> **Pour parler des moments de la journée, allez page 139.**

14. Vous venez de recevoir cet e-mail :

> **De :** Franck.y@gmail.com

> **Objet :** **demain soir**

> *Salut,*
> *Je ne vais pas aller en cours demain, je suis malade.*
> *Est-ce que tu peux venir chez moi demain soir pour m'apporter les devoirs, s'il te plaît ?*
> *Merci ! À plus !*
> *Franck*

Vous répondez à Franck. Vous vous excusez mais vous ne pouvez pas lui apporter les devoirs demain soir. Vous expliquez pourquoi et proposez une autre solution. *(60 mots minimum)*.

> \> **Pour s'excuser, allez page 142.**

15. Vous habitez en France. Dans la boulangerie de votre quartier, vous trouvez cette annonce :

> **Groupe de rock (15-17 ans)**
> cherche chanteur/chanteuse
> si vous êtes intéressé(e), merci de nous écrire à circoroll@yahoo.fr

Vous répondez à cette petite annonce. Vous vous présentez et vous expliquez pourquoi vous voulez chanter dans leur groupe. Vous demandez des informations sur le groupe. Vous proposez un rendez-vous (lieu, jour et heure) pour rencontrer le groupe et montrer comment vous chantez. *(60 mots minimum)*

> \> **Pour parler de la musique, allez page 137.**

16. Vous avez reçu cet e-mail :

De : lili@gmail.com

Objet : **Rendez-vous vidéo**

Salut,
Je suis arrivée à Paris ! Je vais étudier ici pendant un an. Pour le moment, je n'ai pas beaucoup d'amis. Vous me manquez tous beaucoup ! Alors, pour rester en contact, j'aimerais qu'on s'appelle en vidéo chaque jeudi soir à 20 heures.
Ça serait sympa de parler et de se voir à distance !
Bisous,
Lili

Vous répondez à Lili. Vous trouvez que c'est une bonne idée mais vous n'êtes pas libre le jeudi soir. Vous lui expliquez pourquoi et vous lui proposez un autre moment pour votre rendez-vous vidéo. *(60 mots minimum)*

> Pour fixer un rendez-vous, allez page 142.

17. Vous êtes en France. Vous écrivez un e-mail à vos amis francophones pour leur proposer une journée pique-nique. Vous leur indiquez le jour, le lieu, et l'horaire. Vous dites ce que vous pensez apporter pour le repas et ce que vos amis peuvent apporter eux aussi. *(60 mots minimum)*

> Pour inviter quelqu'un, allez page 142.

18. Vous avez reçu cet e-mail d'un ami francophone :

De : melanie@hotmail.com

Objet : **ce week-end**

Salut,
Comment tu vas ? Avec mes parents on va aller visiter le château de Chenonceau, dimanche.
On y va en voiture, tu veux venir avec nous ?
Réponds-moi vite s'il te plaît !
Mélanie

Vous répondez à Mélanie. Vous la remerciez et vous acceptez sa proposition. Vous demandez à quelle heure et où vous devez la retrouver avec ses parents. Vous lui demandez à quelle heure vous allez rentrer le soir. Vous lui proposez de préparer des sandwiches pour le déjeuner. *(60 mots minimum)*

> Pour s'informer sur un rendez-vous, allez page 141.

19. Vous avez gagné deux places pour aller au musée. Vous écrivez à un de vos amis francophones pour lui proposer de vous accompagner. Vous lui expliquez quel musée vous allez visiter, quel jour et à quelle heure. Vous lui proposez une autre activité après la visite du musée. *(60 mots minimum)*

> Pour proposer une activité, allez page 142.

20. Vous avez reçu cet e-mail d'un ami francophone :

De : marinala@aol.fr

Objet : **demain après-midi**

Salut,
J'espère que tu vas bien. Tu te souviens, on doit se voir pour préparer notre voyage de classe.
Demain après-midi ça va pour toi ?
Bises
Marina

Vous répondez à Marina. Vous ne pouvez pas la voir demain après-midi. Vous expliquez pourquoi. Vous lui proposez un autre rendez-vous. *(60 mots minimum)*

[> Pour refuser une invitation, allez page 142.]

21. Vous avez reçu cet e-mail d'un ami francophone :

De : alexis444@gmail.com

Objet : **vacances !!**

Salut !
Alors, tu es en vacances ! Moi aussi !
Comment vas-tu ? On ne s'est pas vu depuis longtemps ! On pourrait faire quelque chose ensemble demain ? Qu'est-ce que tu en penses ? Tu es disponible ?
À bientôt, j'espère !
Alexis

Vous répondez à Alexis. Vous lui donnez de vos nouvelles. Vous acceptez sa proposition et proposez des activités à faire ensemble. Vous lui donnez rendez-vous (date, heure, lieu). *(60 mots minimum)*

[> Pour proposer une idée, allez page 142.]

22. Vous avez reçu cet e-mail d'un ami francophone :

De : Louis2004

Objet : **cadeau pour mon frère**

Salut,
C'est bientôt l'anniversaire de mon frère et je dois trouver un cadeau.
Tu veux bien venir faire les magasins avec moi samedi pour m'aider à choisir, s'il te plaît ?
Louis

Vous répondez à Louis. Vous acceptez de l'aider à trouver le cadeau pour son frère. Vous lui proposez un rendez-vous (jour, heure et lieu). Vous lui donnez quelques idées de cadeau et lui dites les magasins que vous pouvez faire. *(60 mots minimum)*

[> Pour parler des achats, allez page 138.]

23. Vous écrivez un e-mail à un de vos amis francophones pour l'inviter à passer quelques jours chez vous. Vous lui proposez des dates et vous lui dites les activités que vous allez pouvoir faire ensemble. *(60 mots minimum)*

[> Pour parler des loisirs, allez page 137.]

24. Vous avez reçu cet e-mail d'un ami francophone :

De : loulou@yahoo.fr

Objet : **samedi midi**

Coucou !
Mes cousins canadiens sont arrivés à la maison. C'est super, ils restent pendant deux semaines à la maison !
Samedi midi, on fait un repas typiquement canadien, tu veux venir ? Ça va être super !
Allez, dis oui !!
Bises
Loulou

Vous répondez à Loulou. Vous la remerciez et acceptez son invitation. Vous proposez d'apporter quelque chose pour le repas. Vous demandez à Loulou des explications pour venir chez elle. *(60 mots minimum)*

[> Pour parler des repas, allez page 139.]

25. Vous avez deux places pour aller voir un spectacle. Vous écrivez à un de vos amis francophones pour l'inviter. Vous lui expliquez de quel spectacle il s'agit, vous lui donnez le jour, l'heure et le lieu. Vous proposez de vous retrouver un peu avant, quelque part, pour y aller ensemble. *(60 mots minimum)*

[> Pour indiquer la date d'un événement, allez page 142.]

26. Vous avez reçu cet e-mail d'un ami francophone :

De : denisdenis@hotmail.com

Objet : **centre de loisirs**

Bonjour,
J'espère que tu vas bien. J'ai découvert un nouveau centre de loisirs près de chez nous.
Ils organisent plein d'activités (jeux de société, théâtre, sport, danse, yoga, etc.).
Je vais aller me renseigner demain après les cours. Tu veux venir avec moi ?
Bises, à plus tard !
Denis

Vous répondez à Denis. Vous ne pouvez pas l'accompagner demain. Vous vous excusez et vous expliquez pourquoi. Vous lui proposez un autre rendez-vous. *(60 mots minimum)*

[> Pour s'excuser, allez page 142.]

Pour chaque compétence, cochez le dessin qui vous correspond le mieux.

1. Je peux écrire des textes sur moi et ma vie quotidienne.

2. Je peux écrire un message simple et court.

3. Je peux répondre, par écrit, à une invitation : s'excuser, refuser, proposer...

4. Je peux écrire une série d'expressions et de phrases simples.

Vous avez coché tous les dessins de la colonne de droite ?
▶ Bravo ! Vous êtes un Super A2 en production écrite !
▶ Sinon, refaites les exercices correspondants et, vous aussi, devenez un Super A2 !

Production **orale**

Production **orale** ___ **Je découvre** ___

1. **Observez le document de la page 7 et répondez aux questions.**

1. L'épreuve de production orale fait partie…
- ❏ des épreuves collectives.
- ❏ des épreuves individuelles.

2. Combien de temps dure l'épreuve de production orale ?
- ❏ 6 minutes maximum.
- ❏ 8 minutes maximum.
- ❏ 10 minutes maximum.

3. Vrai ou faux ? Dites si les affirmations suivantes sont vraies ou fausses.
Recopiez la phrase qui vous a permis de répondre.

	Vrai	Faux
a. L'épreuve de production écrite est composée de 3 exercices.	❏	❏

....

	Vrai	Faux
b. Il y a un temps de préparation pour l'épreuve de production orale.	❏	❏

....

2. **Observez le document ci-dessous et répondez aux questions.**

L'épreuve de production orale dure **6 à 8 minutes**. Vous avez **10 minutes de préparation** pour le monologue suivi et l'exercice en interaction.

L'épreuve comporte **3 parties** qui s'enchaînent :

– **l'entretien dirigé** (1 à 2 minutes) ;

– **le monologue suivi** (2 minutes environ) ;

– **l'exercice en interaction** (3 à 4 minutes).

1. Vous avez combien de temps pour préparer l'épreuve orale ?

....

2. Le temps de préparation concerne quelles parties de l'épreuve orale ?

....

3. À votre avis, qu'est-ce que vous allez devoir faire pendant…

a. l'entretien dirigé   ●   ● Vous présenter seul(e), puis, répondre aux questions de l'examinateur.

b. le monologue suivi   ●   ● Jouer une situation de la vie quotidienne avec l'examinateur.

c. l'exercice en interaction   ●   ● Parler seul(e) sur un thème puis répondre à quelques questions de l'examinateur.

(▶) 03 **3.** Regardez la vidéo puis numérotez de 1 à 6 les différentes étapes.

La candidate...   N° étape

a. choisit un sujet pour l'exercice en interaction.   ....

b. choisit un sujet pour le monologue suivi.   ....

c. prend la feuille de brouillon.   ....

> Tirer au sort 2
> sujets = Prendre
> 2 sujets au
> hasard.

d. prépare l'épreuve pendant 10 minutes.   ...6...

e. tire au sort 2 sujets pour l'exercice en interaction.   ....

f. tire au sort 2 sujets pour le monologue suivi.   ....

4. Observez la photo et répondez par vrai ou faux.

	Vrai	Faux
a. Il y a deux candidats.	❑	❑
b. Les deux examinatrices prennent des notes.	❑	❑

> Prendre des
> notes = Écrire
> ce que
> quelqu'un dit.

■ Quand vous entrez dans la salle d'examen, n'oubliez pas de **saluer les examinateurs** !

■ Vous allez parler seul(e) devant deux examinateurs : un examinateur va vous poser des questions et l'autre va écrire ce que vous dites. **Pas de panique !** L'examinateur écrit ce qui n'est pas correct mais aussi ce qui est correct car il note ce qui correspond au niveau évalué, le niveau A2 !

■ **Aucun dictionnaire** ni autre document n'est autorisé. Vous ne devez apporter que vos papiers d'identité, votre convocation et un stylo.

■ Les examinateurs vous donnent une feuille de brouillon, les sujets d'examen et le « document réservé au candidat » avec les consignes.

■ Entraînez-vous aux épreuves de production orale grâce aux **dialogues interactifs** du DVD-Rom.

Entretien dirigé

Dans ce 1er exercice, vous devez vous présenter, parler de vous, de votre famille, de vos amis, de vos études, de vos activités, de ce que vous aimez, n'aimez pas. Vous devez aussi répondre aux questions d'un examinateur, par exemple :

– *Qu'est-ce que vous faites le week-end ?*

– *Vous aimez le sport ? Pourquoi ?*

– *Quelle est votre matière scolaire préférée et pourquoi ?*

Lisez le sujet et répondez aux questions.

Exercice 1	... / 13 points

ENTRETIEN DIRIGÉ   *SANS PRÉPARATION* (1 minute 30 environ)

Après avoir salué votre examinateur, vous vous présentez (vous parlez de vous, de votre famille, de vos amis, de vos études, de vos goûts, des animaux que vous aimez, etc.). L'examinateur vous posera des questions complémentaires.

» Comprendre le sujet

1. **À votre avis, quelle doit être la 1re phrase de la candidate ?**

   ❏ J'ai 15 ans.

   ❏ Je m'appelle Simona.

   ❏ Bonjour, je vais me présenter.

2. **Associez chaque thème à la production qui convient.**

Thème
Pour parler de...

Production
vous devez...

vous ●

● dire quel sport ou quelle activité artistique vous pratiquez et quand.

votre famille ●

● dire ce que vous aimez et ce que vous détestez.

vos amis ●

● dire combien vous avez de frère et sœur, quel est le métier de vos parents.

vos goûts ●

● parler de vos amis à l'école, à l'extérieur, et ce que vous faites avec eux.

vos loisirs, ●
vos activités

● dire comment vous vous appelez, votre âge, votre nationalité, où vous habitez, vos études, votre caractère.

» Analyser une passation

04 **1.** Regardez la vidéo et lisez la transcription. Complétez le formulaire suivant :

NOM : ......BERTINI...

Prénom : ......Simona...

Âge : ....

Profession du père : ....

Profession de la mère : ....

Ville : ....

Collège/Lycée : ....

Activités après l'école : ....

Loisirs le week-end : ....

Matière préférée à l'école : ....

Matière détestée à l'école : ....

Genre de film apprécié : ....

2. La candidate a oublié de donner des informations. Lesquelles ?

....

» Préparer votre examen

Complétez cet exemple de présentation.

- Bonjour, je m'appelle : ....
- J'habite à : ....
- J'ai *(votre âge)* : ....
- J'étudie au *(nom de votre collège/lycée)* : ....
- J'ai *(nombre de frères et sœurs)* : ....
  ou Je n'ai pas de frère et sœur. Je suis fils/fille unique.
- Mon père est *(sa profession)* : ....
- Ma mère est *(sa profession)* : ....
  ou mon père/ma mère ne travaille pas/est sans emploi.
- J'adore *(activités ou animaux ou musique…)* ....
  parce que ....
- Plus tard je veux être *(le métier que vous voulez exercer)*
  .... parce que ....

Vous pouvez utiliser cette fiche pour vous préparer au premier exercice de l'épreuve orale.

Si l'examinateur vous pose la question suivante : « Vous habitez dans une maison ? », répondez de façon complète et décrivez votre logement : « Oui, ma maison est petite/grande. Elle est composée de … pièces, il y a… » ou « Non, j'habite dans un appartement. Il y a … pièces. Dans ma chambre il y a… »

Partie

B. Monologue suivi

Dans ce 2e exercice, vous devez parler seul pendant environ 2 minutes. Vous vous exprimez sur un sujet parmi les 2 tirés au sort : présenter un événement, une activité, un projet, un lieu, etc. Le sujet est généralement composé de plusieurs questions. Vous devez répondre à toutes les questions. Après votre monologue, l'examinateur peut vous poser quelques questions complémentaires.

1. Observez le sujet ci-dessous puis répondez aux questions.

Exercice 2

MONOLOGUE SUIVI   *AVEC PRÉPARATION* (2 minutes)

Vous tirez au sort 2 sujets et vous en choisissez 1. Vous vous exprimez sur le sujet. L'examinateur peut ensuite vous poser des questions pour vous aider.

SUJET 1. Internet
Utilisez-vous souvent Internet ? Pour faire quoi ? Quels sont vos sites préférés ? Utilisez-vous Internet à l'école ?

Découper selon les pointillés.

» Comprendre le sujet

1. Lisez le sujet ci-dessus. Dites si les affirmations suivantes sont vraies ou fausses.

	Vrai	Faux
a. Je réponds aux questions du sujet puis l'examinateur me pose des questions.	❏	❏
b. J'attends que l'examinateur me pose des questions sur le sujet.	❏	❏
c. Je parle du sujet et l'examinateur écoute.	❏	❏

2. Il y a combien de questions dans le sujet ? ....

» Préparer son brouillon

1. Vous utilisez Internet…

❏ tous les jours.   ❏ de temps en temps.   ❏ jamais.

2. Citez 3 choses que vous faites sur Internet.

a. ....

b. ....

c. ....

Pour préparer votre brouillon
1. N'écrivez pas tout sur votre brouillon : ne faites pas des phrases complètes.
2. Notez vos idées, des exemples.
3. Vous pouvez regarder votre brouillon pendant l'oral mais vous ne devez pas le lire : ce n'est pas un exercice de lecture !

3. Citez vos 3 sites Internet préférés ?

a. ....

b. ....

c. ....

4. Vous utilisez Internet à l'école...

❏ jamais.   ❏ au CDI.   ❏ en classe.

Lors de la passation

1. Ne répondez pas par un seul mot, développez vos réponses !
2. Pensez à utiliser des connecteurs *(parce que, et, mais, alors)* pour
   enchaîner vos réponses aux questions : ce doit être un petit discours.
Exemple : – *Utilisez-vous Internet à l'école ?*
   – *Non.* ☹
   – *Non, je n'utilise pas Internet à l'école parce qu'il n'y a pas
   assez d'ordinateurs pour tous les élèves.* ☺

》 Analyser une passation

SUJET 2. Personnalité préférée
Quelle personnalité (acteur, chanteur, sportif, etc.) admirez-vous le plus ?
Décrivez-la et dites pourquoi vous l'appréciez.

Découper selon les pointillés. ✂

▶ **05** **1.** Regardez la vidéo et lisez la transcription. Complétez le formulaire suivant :

a. Nom de la personnalité :

....

b. Type de personnalité :

....

c. Description physique de la personnalité :

....

d. Pourquoi la candidate admire cette personnalité ? :

....

2. Mettez une croix dans la case correspondante (☺ ou ☹) selon votre avis.

	☺	☹
a. La candidate décrit sa personnalité préférée.	❏	❏
b. La candidate explique pourquoi elle apprécie cette personnalité.	❏	❏
c. La candidate répond aux questions de l'examinatrice.	❏	❏

C'est parti !

Les personnes

[> Pour décrire une personne, allez page 136.]

2. Mon meilleur ami/ma meilleure amie

Qui est votre meilleur(e) ami(e) ? Pourquoi ? Que faites-vous ensemble ?

3. Mon professeur préféré

Parlez d'un professeur qui est, ou a été, important pour vous et expliquez pourquoi.

4. Une personne importante

Parlez d'une personne importante pour vous. Qui est-ce ? Comment est-elle physiquement ? Quel est son caractère ? Expliquez pourquoi elle est importante pour vous.

5. Mon chanteur/ma chanteuse préféré(e)

Quel(le) est votre chanteur/chanteuse préféré(e) ? Pourquoi ? Quelle est sa chanson que vous préférez ? Pourquoi ?

Le pays (géographie, paysages)

[> Pour décrire un pays, allez page 140.]

6. Le pays où je vis

Décrivez votre pays. Quel(s) endroit(s) de votre pays préférez-vous ? Pourquoi ?

7. Ma ville

Quelle est votre ville ? Où se trouve-t-elle dans votre pays ? Que peut-on visiter dans votre ville ? Quels endroits aimez-vous ? Pourquoi ?

8. Campagne ou ville ?

Que préférez-vous : la campagne ou la ville ? Pourquoi ? Où aimeriez-vous vivre ?

9. Mon paysage préféré

Quel est votre paysage préféré ? Décrivez-le et expliquez pourquoi vous aimez ce paysage.

Le logement

[> Pour parler du logement, allez page 136.]

10. Mon logement

Décrivez votre logement (type de logement, nombre de pièces,...).

11. Ma pièce préférée

Décrivez la pièce de votre logement que vous préférez. Expliquez pourquoi vous aimez cette pièce et ce que vous y faites.

Les objets du quotidien

[> Pour parler des objets quotidiens, allez page 136.]

12. L'objet le plus important

Quel est l'objet le plus important pour vous ? Expliquez pourquoi et à quelle occasion vous l'utilisez.

La vie quotidienne

[> Pour parler de l'école, allez page 138.]

13. Une journée à l'école

Décrivez une de vos journées habituelles à l'école. Expliquez ce que vous faites et avec qui.

Les loisirs

[> Pour parler des loisirs, allez page 137.]

14. Mon émission de télévision préférée

Quelle est l'émission de télévision que vous préférez ? Présentez-la, dites à quelle heure et quel jour de la semaine elle passe à la télévision, et expliquez pourquoi vous l'aimez.

15. Pendant mon temps libre

Qu'aimez-vous faire quand vous n'êtes pas en classe ? Est-ce votre activité de loisirs préférée ? Pourquoi ?

16. Activité sportive

Quelle est votre activité sportive préférée ? Expliquez à quel moment vous la pratiquez, comment, avec qui et pourquoi vous aimez ce sport.

Les lieux publics

[> Pour parler des lieux publics, allez page 137.]

17. Mes lieux préférés

Quels sont les lieux publics que vous adorez ? Pourquoi ? Que faites-vous dans ces lieux ?

18. Les commerces près de chez moi

Quels sont les commerces près de vous ? Dans quel(s) commerce(s) allez-vous le plus souvent ? Pourquoi ? Dans quel(s) commerce(s) n'allez-vous jamais ? Pourquoi ?

Les moyens de transport

[> Pour parler des transports, allez page 137.]

19. **Pour aller à l'école.**

Comment allez-vous à l'école ? Quel(s) moyen(s) de transport aimeriez-vous prendre pour aller à l'école ? Pourquoi ? Quel est le moyen de transport que vous n'avez jamais pris ? Aimeriez-vous le prendre ? Pourquoi ?

Les repas, la nourriture

[> Pour parler de la nourriture et des repas, allez page 139.]

20. **Mon plat préféré**

Quel est votre plat préféré ? Citez les ingrédients. Dites pourquoi vous aimez ce plat et à quel moment vous le mangez.

21. **Ma recette préférée**

Quel plat savez-vous préparer ? Dites à quelle occasion vous le réalisez et expliquez comment vous le préparez (ingrédients, quantités, temps de préparation et de cuisson…).

Les animaux

[> Pour parler des animaux, allez page 139.]

22. **Mon animal préféré**

Quel est votre animal préféré ? Pourquoi ? Avez-vous un animal chez vous ? Quel animal aimeriez-vous avoir chez vous ? Pourquoi ?

Les événements

[> Pour parler des événements, allez page 139.]

23. **Mon anniversaire**

Est-ce que vous aimez fêter les anniversaires ? Pourquoi ? Racontez le dernier anniversaire que vous avez fêté (où ? quand ? avec qui ? activités ?).

24. **L'événement de l'année**

Quel événement aimez-vous fêter ? Racontez (quoi ? quand ? comment ? etc.)

Un projet

[> Pour parler des vacances, allez page 139.]

25. **Mes prochaines vacances**

Qu'allez-vous faire pendant vos prochaines vacances ? Racontez.

Partie C. Exercice en interaction

Dans ce 3ᵉ exercice, vous devez faire un petit dialogue avec l'examinateur.
Vous dialoguez sur un sujet de la vie quotidienne parmi les 2 tirés au sort : vous devez poser des questions et faire des propositions. L'examinateur joue le rôle de votre ami, de votre correspondant ou d'un adulte francophone. Vous devez généralement vous mettre d'accord tous les deux sur l'organisation d'un événement ou résoudre une situation de la vie quotidienne.

1. Lisez le sujet et répondez aux questions.

Exercice 3

ENTRETIEN EN INTERACTION *AVEC PRÉPARATION* (3 ou 4 minutes environ)

Le genre masculin est utilisé pour alléger le texte. Vous pouvez naturellement adapter la situation en adoptant le genre féminin.

EX. 3 Sujet 5. *Week-end à la campagne.*

Un ami vous propose de passer un week-end dans sa maison de vacances à la campagne. Vous vous mettez d'accord sur les activités que vous allez faire, les vêtements à prendre, et un rendez-vous pour le départ (date, lieu et horaire).

L'examinateur jour le rôle de votre ami français.

> **Comprendre le sujet**

1. Lisez le sujet. Qui va jouer le rôle de votre ami français ?

Observe le thème du sujet. Il peut vous aider à choisir rapidement !

....

Dans cette situation, vous pouvez dire « tu » à l'examinateur.

2. Que vous propose votre ami français ?

....

3. Sur quelles choses vous devez vous mettre d'accord avec votre ami français ?

....

....

> **Préparer son brouillon**

1. Citez 3 activités à faire avec votre ami le week-end à la campagne.

....

2. Citez 3 vêtements à mettre pour un week-end à la campagne.

....

3. Donnez un rendez-vous possible pour votre départ en week-end.

Jour : ....

Heure : ....

Lieu : ....

> Dans cet exercice, vous devez vous mettre d'accord avec l'examinateur. C'est à vous de faire des propositions. N'attendez pas les questions de l'examinateur !

>> **Analyser une passation**

(▷) 06 **1.** Lisez le sujet ci-dessous puis regardez la vidéo et lisez la transcription. Complétez le formulaire.

Le genre masculin est utilisé pour alléger le texte. Vous pouvez naturellement adapter la situation en adoptant le genre féminin.

EX. 3 Sujet 4. *Déjeuner à la mer.*

Vous organisez un déjeuner avec votre ami français. Vous vous mettez d'accord sur le lieu, le jour, l'heure, la nourriture et les amis que vous aimeriez inviter.

L'examinateur jour le rôle de votre ami français.

a. Lieu du déjeuner : ....

b. Jour du déjeuner : ....

c. Heure du rendez-vous : ....

d. Nourriture prévue : ....

e. Amis invités : ....

2. Mettez une croix dans la case correspondante (☺ ou ☹) selon votre avis.

	☺	☹
a. La candidate pose des questions à son amie (l'examinatrice).	❏	❏
b. La candidate répond aux questions de son amie (l'examinatrice).	❏	❏
c. La candidate fait des propositions.	❏	❏
d. La candidate dit « bonjour » et dit « tu » à l'examinatrice.	❏	❏

Discuter de l'organisation d'une rencontre et de ses préparatifs

> > Pour expliquer un programme, allez page 141.

2. **Déjeuner à la maison**

C'est parti !

Vous voulez organiser un déjeuner chez vous avec votre ami francophone. Vous vous mettez d'accord sur le jour, l'heure et les invités. Vous décidez des plats que vous allez préparer.

L'examinateur joue le rôle de l'ami.

3. Week-end entre amis

Un ami francophone passe le week-end chez vous.
Vous discutez de l'organisation de ces deux journées
(activités, visites, etc.).
L'examinateur joue le rôle de l'ami.

> N'oubliez pas : le genre masculin
> est utilisé pour alléger le texte.
> Vous pouvez naturellement
> adapter la situation en adoptant
> le genre féminin.

4. Accueil d'un ami dans mon pays

Vous êtes avec un ami francophone. Un ami en commun va bientôt venir dans votre pays.
Vous discutez avec votre ami francophone des choses que vous allez faire tous les trois.
Vous décidez d'un programme (promenades, visites,…) pour la semaine.
L'examinateur joue le rôle de l'ami.

5. Échange scolaire

Avec votre classe vous avez passé une semaine en France. Vous êtes allés dans le collège/
lycée de vos correspondants français. Le mois prochain, vos correspondants vont venir
dans votre pays. Avec le professeur de français, vous discutez de l'organisation de leur
accueil au collège-lycée.
L'examinateur joue le rôle du professeur de français.

Discuter du programme d'un week-end, d'une journée, d'une soirée

> Pour parler des loisirs, allez page 137.

6. Découverte de la ville

Votre ami francophone passe quelques jours dans votre pays. Il aimerait faire une sortie
culturelle. Vous lui dites ce qu'on peut visiter et découvrir dans votre ville. Vous organisez
ensemble votre week-end : vous proposez les activités, les lieux et les horaires.
L'examinateur joue le rôle de l'ami.

7. Après-midi au cinéma

Vous êtes avec votre correspondant francophone. Vous choisissez ensemble un film à
voir au cinéma samedi après-midi. Vous décidez ensemble du film, du lieu de rendez-vous
et de l'horaire. Vous proposez aussi à votre correspondant une activité après le cinéma.
L'examinateur joue le rôle du correspondant.

Obtenir et/ou donner des biens et des services

> Pour s'informer sur des services, allez page 141.

8. Dans un magasin de vêtements

Vous êtes dans une boutique de vêtements en France. Vous voulez acheter un vêtement
pour l'anniversaire d'un de vos amis. Vous expliquez au vendeur ce que vous voulez
acheter (type de vêtements, style, couleur, taille). Vous lui demandez le prix et vous
décidez de votre achat.
L'examinateur joue le rôle du vendeur.

9. Au musée des Beaux-Arts de Lyon

Vous êtes à l'accueil du musée des Beaux-Arts de Lyon avec votre famille. Vous vous
renseignez sur les jours et les horaires d'ouverture et de fermeture et les différents tarifs
proposés. Vous posez des questions sur l'accès au jardin, à la librairie-boutique et sur le
café-restaurant du musée.
L'examinateur joue le rôle de l'employé du musée.

10. **La vente**

Pour vous faire un peu d'argent de poche, vous avez décidé de participer à *un vide-grenier* samedi prochain c'est-à-dire que vous allez vendre des objets que vous n'utilisez plus. Vous proposez à un ami de faire ce vide-grenier avec vous. Vous dites les objets que vous voulez vendre et demandez à votre ami de vous dire les objets qu'il n'utilise plus. Vous choisissez ensemble les objets que vous voulez vendre et à quel prix.
L'examinateur joue le rôle de l'ami.

11. **À la poste**

Vous êtes à la poste, en France. Vous voulez envoyer un colis à vos parents. Vous demandez à l'employé de la poste de vous renseigner sur les prix, les types d'envoi, la durée, etc.
L'examinateur joue le rôle de l'employé.

12. **Au club de sport**

Un de vos amis francophones vient de s'inscrire dans votre club de sport. Il vous pose des questions sur le club. Vous lui expliquez le fonctionnement, les sorties organisées pour les inscrits, etc. Vous lui demandez quelles activités il va faire et vous dites les activités que vous faites.
L'examinateur joue le rôle du nouvel inscrit au club de sport.

Discuter à l'école

[> Pour parler de l'école, allez page 138.]

13. **Le nouvel élève**

Un nouvel élève est arrivé dans votre classe. Vous lui posez des questions pour mieux le connaître et vous lui expliquez le fonctionnement de votre école (les horaires des cours, les matières, les professeurs, les classes...).
L'examinateur joue le rôle du nouvel élève.

14. **La journée des professeurs**

Vous êtes au collège en France. Avec un ami de votre classe, vous devez organiser une fête pour la Journée des professeurs. Vous discutez pour vous mettre d'accord sur le jour, l'heure, le lieu, la nourriture et les activités que vous pouvez organiser.
L'examinateur joue le rôle de votre camarade de classe.

Demander et donner des renseignements

[> Pour demander des informations personnelles, allez page 140.]

15. **Inscription à l'école de musique**

Vous êtes en France pour plusieurs mois. Vous souhaitez vous inscrire à l'école de musique de votre ville. Vous vous renseignez sur les différents cours proposés, les niveaux de difficulté, les horaires et les tarifs, etc. Vous choisissez et vous donnez à l'employé vos informations personnelles pour vous inscrire.
L'examinateur joue le rôle de l'employé du club de sport.

16. Abonnement transports en commun

Vous êtes à l'office du tourisme de Lille, en France. Vous vous renseignez sur les transports en commun (plans de lignes, type de tickets, tarifs) et les abonnements possibles (à la semaine ou au mois).
L'examinateur joue le rôle de l'employé.

17. Stage professionnel en France

Vous allez faire un mini-stage professionnel d'une semaine à Bordeaux. Vous posez des questions à votre responsable de stage sur les dates, le lieu du stage et le logement. Vous expliquez où vous souhaiteriez avoir un logement et quel type de logement.
L'examinateur joue le rôle du responsable de stage.

18. Faire connaissance avec ses voisins

Vous venez d'emménager en France avec votre famille. Vous rencontrez un de vos voisins devant la porte d'entrée de l'immeuble. Vous vous présentez et vous lui posez des questions sur la vie dans l'immeuble et dans le quartier.
L'examinateur joue le rôle du voisin.

Discuter du futur proche

[> Pour exprimer une joie sur un projet futur, allez page 141.]

19. Fêter la nouvelle année

C'est bientôt le nouvel an. Avec un ami francophone, vous discutez de ce que vous allez faire pour fêter cette nouvelle année.
L'examinateur joue le rôle de l'ami.

20. Les prochaines vacances

C'est bientôt les vacances. Avec un ami francophone vous discutez de vos projets pour les vacances.
L'examinateur joue le rôle de l'ami.

21. Un job d'été

Vous avez trouvé un petit travail pendant vos prochaines vacances. Vous expliquez à un ami francophone quel est ce travail, ce que vous allez faire et comment vous allez vous organiser.
L'examinateur joue le rôle de l'ami.

22. Parler du voyage d'un ami

Vous êtes en France. Un de vos amis français va bientôt partir dans votre pays. Il va être logé chez votre oncle. Vous discutez de ce qu'il va faire pendant son séjour.
L'examinateur joue le rôle de l'ami.

Pour chaque compétence, cochez le dessin qui vous correspond le mieux.

1. **Je peux donner et demander des informations personnelles.**

2. **Je peux discuter d'un programme, faire des propositions.**

3. **J'ai des stratégies pour mieux comprendre.**

4. **Je peux exprimer accord et désaccord.**

Vous avez coché tous les dessins de la colonne de droite ?
▶ Bravo ! Vous êtes un Super A2 en production orale !
▶ Sinon, refaites les exercices correspondants et, vous aussi, devenez un Super A2 !

Annexes

🛒 la famille

un frère/une sœur
les parents : le père/la mère
un grand-père/une grand-mère
un oncle/une tante
un cousin/une cousine
un neveu/une nièce

👤 les personnes

un ami, une amie
un copain, une copine
un(e) camarade de classe
un correspondant,
  une correspondante

💬 décrire une personne

**le caractère : les qualités
et les défauts**

sympathique ≠ antipathique
gentil (gentille) ≠ méchant(e)
dynamique ≠ calme
sérieux (sérieuse) ≠ drôle, rigolo
  (rigolote)
comique ≠ triste
généreux (généreuse)
bavard(e) ≠ timide
intelligent(e) ≠ stupide

le physique

brun(e)/blond(e)/roux (rousse)/
  châtain
petit(e)/grand(e)
maigre/mince/gros (grosse)
musclé(e)

les parties du corps

la tête
un œil/des yeux
un nez
une bouche
les cheveux (m)
une oreille
un bras
une main
une jambe
un pied

👕 les vêtements

une jupe
une robe

un pantalon
un jean
un short

un tee-shirt
un polo
une chemise
un chemisier

un blouson
une veste

des chaussures (f), une paire
  de chaussure
des baskets (f)
des tennis (f)

les accessoires (m)

des gants (m)
un bonnet
une écharpe
des lunettes (f)
un chapeau
un parapluie
une casquette
une montre
un bijou
une ceinture
un maillot de bain
une serviette de bain
un bonnet de bain
un sac de sport
un sac à dos
un sac à main

la taille (pour les vêtements)
la pointure (pour les chaussures)

essayer un vêtement
mettre un vêtement
porter un vêtement
enlever un vêtement

📱 les objets quotidiens

un appareil photo
un téléphone, un Smartphone
une radio

un plan
un colis
une enveloppe

un timbre
une carte postale
une carte bancaire

un ordinateur
un clavier
une souris
un écran
une clé USB

envoyer un mail
recevoir un mail
télécharger un fichier, des photos,
  de la musique
cliquer sur une icône

💼 les professions

un animateur, une animatrice
un moniteur (de ski),
  une monitrice
un surveillant (au collège),
  une surveillante
un sportif, une sportive
un artiste
un chanteur, une chanteuse
un acteur, une actrice
un réalisateur, une réalisatrice
un garçon de café, une serveuse
un employé (de banque),
  une employée
un pompier
un policier, une policière
un avocat, une avocate
un facteur, une factrice
un voleur, une voleuse

🏢 le logement

une maison
un appartement

les pièces de la maison

un salon
une salle à manger
une chambre
une cuisine
une salle de bains
des w.-c./des toilettes

un couloir
une porte

une fenêtre
un balcon
une terrasse
un jardin
une cheminée
un garage

les meubles
une table
un lit
un bureau
une armoire
une chaise
un fauteuil
une étagère
une plante
une lampe

louer
être propriétaire
habiter

les transports/ les déplacements
une voiture
un vélo
un bus
le métro
le tram (le tramway)
un taxi
un chauffeur
un skateboard
des rollers (m)

le vélo
une piste cyclable
une station de vélos en
 libre-service

le bus
un arrêt
un passager

le métro
une station
une ligne
un itinéraire
un ticket
un distributeur de tickets
un abonnement

le train
une gare
une voie
un quai
une place
un contrôleur
un billet/un titre de transport
une porte du train
l'arrivée
le départ
un retard
une correspondance
le terminus
une sortie
un escalier
une réservation

l'avion
un aéroport
un vol
une destination
une porte d'embarquement
un terminal
un bagage
un steward, une hôtesse de l'air

se déplacer
voyager
partir
arriver
réserver
composter un billet

les lieux publics
un restaurant
un café
une cafétéria
un hôtel
la poste
une banque
un parking

un jardin public
une rue
une impasse
un boulevard
une avenue
une place
un bâtiment
un immeuble

le rez-de-chaussée
le premier étage
le dernier étage

les loisirs

la lecture, l'écriture
lire un livre, une BD, un magazine
écrire un blog/un journal intime
emprunter un livre
rendre un livre

un livre
une bande dessinée
un roman

le cinéma, la télévision
un film
une série
un journal télévisé
un programme
une émission de téléréalité
un animateur
un jeu télévisé
un candidat
un sketch
un comique

regarder la télévision
aller au cinéma

les genres (films et livres)
une science-fiction
une comédie ≠ une tragédie
un thriller
un policier
un drame
un film romantique
un film historique
un dessin animé
un film d'animation

la musique
écouter de la musique
danser, la danse
chanter, le chant (dans une
 chorale par exemple)
jouer d'un instrument de musique

un violon
une flûte
une guitare

un piano
une batterie
une école de musique

le sport
faire du sport, une activité
  sportive
la gymnastique
la natation
le badminton
le basket-ball
le football
le karaté
le tennis
le vélo tous terrains
le volley-ball
le water-polo
l'escalade (f)
l'escrime (f)

un match de foot, de volley-ball,
  de basket…
une équipe
une compétition
un championnat
les Jeux Olympiques

un terrain de foot, de basket-ball,
  de rugby…
une piscine
une salle de sport
un stade
un gymnase

les jeux et l'informatique
surfer sur Internet
jouer en ligne, en famille, entre
  amis
les jeux vidéo (m)
les jeux de société (m)

**les sorties culturelles,
les spectacles**
s'intéresser à
admirer quelque chose/quelqu'un
participer à
sortir
aller au théâtre, à un concert

un parc d'attractions

une salle de spectacle
un théâtre/une pièce

un cinéma/un film
un auditorium/un concert
un opéra
un lieu culturel
un musée
une visite guidée
un audioguide
l'accueil (m)
un billet
une galerie
un monument historique
une statue
une sculpture
un tableau

les achats
les commerces (m)
un magasin
une boutique
un centre commercial

une pâtisserie
une boulangerie
une pharmacie
une boucherie
une charcuterie
une poissonnerie
une épicerie
une laverie
une librairie

un client
un vendeur
une cabine d'essayage (dans un
  magasin de vêtements)
un rayon
une caisse
une étiquette
un prix
une réduction
une offre exceptionnelle
un bon d'achat

acheter
vendre
échanger
rembourser
payer par carte
payer en espèces
rendre la monnaie

l'école
un collège
un lycée
une salle de classe
un cours
une heure de cours
une cour de récréation
une cantine (un restaurant
  scolaire)
un internat
une bibliothèque, un CDI
  (centre de documentation et
  d'information)
un professeur
un élève
un délégué de classe

les matières scolaires (f)
les mathématiques
l'histoire
la géographie
la littérature
la langue vivante
la SVT (science et vie de la Terre),
  la biologie
la physique-chimie

les devoirs (m)
un exercice
un exposé
un examen
un test
la rentrée des classes
la fin de l'année scolaire

un tableau
une craie
un cahier
un feutre
un stylo
un crayon à papier
une trousse
une gomme
des ciseaux (m)

étudier
réviser
apprendre par cœur
interroger

🍲 la nourriture et les repas
le petit-déjeuner (le matin)
le déjeuner (le midi)
le dîner (le soir)
un pique-nique

une entrée
un plat (principal)
un dessert

les aliments
la viande
la charcuterie
le poisson
un légume
un fruit
un œuf
le pain
des céréales (m)
des pâtes
le riz
une soupe
une salade
un fromage
une glace

une boisson
un thé/un café
un soda
une boisson gazeuse
un jus de fruit

les goûts
sucré (le sucre)
salé (le sel)
épicé (une épice)
délicieux ≠ dégoûtant

les couverts
une cuillère (à café, à soupe)
une fourchette
un couteau
une assiette
un verre

manger
boire
goûter
commander
payer

🕑 les moments de la journée
le matin
le midi
l'après-midi
la fin de journée
le soir
la nuit
minuit

☂ la météo
le soleil
la pluie
un nuage
le vent
la neige
le ciel
la température

❄ les saisons
l'été (m)/en été
l'hiver (m)/en hiver
le printemps (m)/au printemps
l'automne (m)/en automne

👓 les vacances
la montagne
la plage
la mer
le lac
la campagne
la côte
la forêt
un camping

un parasol
un souvenir

aller à l'étranger
rester à la maison
camper/faire du camping
nager
se baigner
se promener
visiter
bronzer
se reposer
se détendre

marcher

une excursion
la randonnée

🎂 les événements
une naissance
un anniversaire
un mariage

une fête
un gâteau
une bougie
une surprise
un gâteau
un bonbon
une boisson
un DJ
un costume (un déguisement)
une ambiance

s'amuser
apporter un cadeau, de la
  musique…
décorer une salle
se déguiser
offrir un cadeau
s'occuper des boissons
préparer un gâteau

🐻 les animaux

un animal domestique
un chat
un chien
un oiseau
un poisson rouge
une tortue
un insecte
un papillon

une cage
une niche
un aquarium

un animal de la ferme
une poule
une vache
un cheval
un mouton
un cochon

Actes de parole

saluer
Salut !
Bonjour !
Coucou !
Ça va ?

saluer/prendre congé
À samedi !
Alors à dimanche !
À plus tard !/À bientôt !
Salut !
Bisous/Bises.

se présenter
C'est moi.
C'est Camille.
Je suis Camille.
Je m'appelle Camille.

donner son adresse
Mon adresse, c'est le 6, rue de la pomme.
J'habite 6, rue de la pomme.
Je vis chez mes parents.

présenter quelqu'un
Je te présente Yacim.
C'est mon ami.
Il est français.

demander des informations personnelles
Comment tu t'appelles ?
Tu habites où ?
Tu as quel âge ?
Tu viens d'où ?
Qu'est-ce que tu fais dans la vie ?
Qu'est-ce que tu aimes faire ?

caractériser une personne
C'est un acteur célèbre.
Il est génial.
Il porte des vêtements à la mode.
Il a les cheveux longs et blonds. Il a les yeux verts.
Il est très beau !
Il est un peu timide.
Il est très marrant/drôle/amusant !
Il me fait rire.

parler de sa santé
Je suis malade.
J'ai de la fièvre.

J'ai mal à la gorge.
J'ai mal au ventre.
Je suis très fatigué(e).
Je suis en pleine forme.

demander son chemin
Excusez-moi, vous pouvez m'aider s'il vous plait ?
 Je suis perdu(e).
Où est la place du marché ?
Où se trouve le musée de la mer ?
Je voudrais aller à la Tour Eiffel.
Comment je peux faire pour aller à la Place de la
 Comédie ?
Je cherche la station de métro Capitole.

indiquer un chemin
Vous prenez la première à gauche, puis vous allez
 tout droit.
Traversez le pont, et tournez à droite.
Il faut prendre le bus 86 et descendre à l'arrêt
 Balzac.

localiser/situer
C'est tout près./Ce n'est pas loin.
L'église se trouve dans la rue du Temple.
Le musée est au milieu du parc.

décrire un pays ou une région
Il y a des montagnes et des fleuves. ≠ C'est plat.
C'est très vert.
Le climat est super.
Il fait trop chaud !
Dans cette région, il pleut souvent.
La Hongrie est située entre l'Autriche et la Roumanie.
Il se trouve au sud de la France.

décrire et caractériser un objet
Mon sac est lourd./Mon téléphone est léger.
La table est ronde./ La boîte est carrée.
La lampe est en verre.
Le bureau est en bois.
Mon stylo est en plastique.
La chaise est en fer.
Ma jupe est rouge avec des fleurs.
Ce sac est très pratique pour l'école.

dans un magasin :
s'informer et demander un prix
Est-ce que vous avez des chemises à carreaux ?
Je cherche un tee-shirt XL pour un ami.

Je voudrais deux shorts.
Combien ça coûte ?
Ce polo existe aussi en blanc ?
Vous avez un modèle moins cher ?
Je peux échanger cet article ?

acheter quelque chose
Super, je prends cet article !
OK, je l'achète.
Très bien, je le prends.

au restaurant :
poser des questions sur un plat
De quoi est composé ce plat ?/Qu'est-ce qu'il y a
  dedans ?
Quel est le plat du jour ?/C'est quoi le plat du jour ?
Est-ce que vous avez des plats végétariens ?
Quel est le plat typique de la région ?
Il y a du poisson ?

s'informer sur des services
Combien coûte un ticket ?
Il y a une réduction pour les étudiants ?
Le musée est ouvert tous les jours ?
Vous avez des tarifs de groupe ?
À quelle heure est-ce que le film commence ?

expliquer un programme
On peut faire plein d'activités.
Il y a beaucoup de choses à faire.
Le lundi tu peux faire du cheval et le mardi, il y a
  plein d'activités artistiques.

raconter un événement passé
On s'est bien amusé.
On s'est un peu ennuyé.
Il y avait beaucoup de gens sympathiques.

parler du temps qu'il a fait
Il a plu toute la journée.
Il a fait beau.
Il faisait froid.
Il y avait trop de vent.

donner ses impressions sur un
événement passé
C'était magnifique !
L'ambiance était super !
Ça m'a beaucoup plu !
J'ai adoré, surtout quand le public a dansé.

J'ai détesté.
C'était la meilleure ≠ la pire journée de ma vie.
C'est un bon ≠ mauvais souvenir.
Ça m'a choqué.
J'étais un peu surpris(e).
Je suis fan de cet acteur.

raconter un rêve
J'ai fait un drôle de rêve.
J'ai fait un mauvais rêve. (= un cauchemar)
J'étais dans une forêt.

exprimer une joie pour un projet futur
On va bien s'amuser.
Ça va être super !
J'ai hâte !

exprimer un souhait ou un espoir
J'espère qu'elle va oublier.
J'espère réussir mon examen.
J'aimerais aller au cinéma.

exprimer un mécontentement
Oh zut !
C'est dommage.

demander à quelqu'un
de faire quelque chose
Est-ce que tu pourrais garder mon chat ?
Est-ce que tu peux venir chercher ton cahier chez
  moi, ce soir ?
Tu pourrais apporter des boissons ?
Tu peux m'envoyer un SMS, s'il te plaît ?
Tu peux appeler Marc pour lui dire, s'il te plaît ?
Tu m'appelles à 13 heures pour me confirmer ?

s'informer sur un rendez-vous
On se retrouve quand ? Et où ?
On se voit à quelle heure ?
Rendez-vous où ?

s'informer sur des horaires
de transport en commun
À quelle heure part le prochain train ?
C'est direct ?
Est-ce qu'il y a une correspondance ?
Il faut changer où ?
Le bus passe souvent ?

poser des questions sur une durée
Le film dure combien de temps ?

C'est long ?
C'est de quand à quand ?

indiquer des horaires
Viens chez moi vers 18 heures.
C'est de 17 heures à 19 heures.
Ça commence à 20 heures.
Ça finit à 21 heures.

indiquer la date, l'horaire et le lieu d'un événement
Le match est le vendredi 9 janvier ! C'est de
  17 heures à 19 heures, et ça se passe au gymnase.
C'est entre 16 heures et 17 heures.

exprimer la durée
J'étudie le français depuis 6 mois.
Ça fait 10 ans que j'habite à Toulouse.
J'ai commencé à faire de la guitare il y a 4 ans.

indiquer la fréquence d'une activité
Je fais du sport tous les jours.
Le samedi, je fais mes devoirs.
Parfois, je vais courir dans le parc.
Je vais souvent à l'opéra.
Je ne vais jamais à la bibliothèque.

inviter quelqu'un
Tu veux venir avec moi au théâtre ?
On va au parc, tu viens avec nous ?
Tu es libre ce dimanche ?
Tu veux venir à la maison samedi soir ?
Tu peux dormir chez moi si tu veux.
Tu es d'accord pour aller au ciné ?

insister pour inviter
Allez, viens !
S'il te plaît !
Dis oui !

proposer une idée/une activité
On y va ensemble, d'accord ?
On pourrait lui faire une surprise, non ?
Ça te dit d'aller à la piscine ?
Tu as envie d'aller à l'opéra ?
Une partie de tennis, ça te dit ?

fixer un rendez-vous
On se retrouve à 14 heures devant la galerie ?
On passe te prendre à 14 h 30, ça va ?
Si tu es d'accord, rendez-vous à 17 heures.

On se voit demain à midi, OK ?
Rendez-vous au cinéma ?

s'excuser, demander pardon, refuser une invitation
Désolé(e), je ne peux pas.
Je ne suis pas libre.
Malheureusement, je ne suis pas disponible demain.
Je n'ai pas pu venir, je suis désolé(e).
Excuse-moi.
Pardon !

accepter une invitation, remercier
OK ! D'accord.
Ça marche !
Avec plaisir !
Oui, super !
Merci pour l'invitation.
Je te remercie.

demander à quelqu'un son avis
Qu'est-ce que tu en penses ?
Qu'est-ce que tu en dis ?
Est-ce que tu aimes ?
Tu préfères quel film ?
Une glace, ça te va ?

féliciter
Bravo !
Chapeau bas !
Félicitations.
Je suis content pour toi.

rappeler à quelqu'un de faire quelque chose
Pense à prendre ta serviette.
N'oublie pas de prendre ton maillot.

conseiller quelque chose à quelqu'un
Prends un carnet de 10 tickets, c'est moins cher.
Je te conseille d'aller à ce musée.
Tu dois absolument voir ce film, il est génial !

donner une instruction
Il faut apporter des boissons.
On doit s'habiller en noir et blanc.
On doit être là-bas à 16 heures.

Compréhension de l'oral

▷ ..... / **25 points**

 53 **Exercice 1 :** comprendre une annonce

▷ ..... / **5 points**

Lisez les questions. Écoutez le document puis répondez. Vous êtes en France. Vous entendez cette annonce à la médiathèque de votre quartier.

1. Il y a une annonce car la médiathèque… ▷ ..... / **1 point**

....

2. Vous pouvez emprunter des livres jusqu'à… ▷ ..... / **1 point**
- ❑ 18 heures.
- ❑ 19 heures.
- ❑ 19 h 30.

3. Dans la salle Zola, vous pouvez écouter quelle personne ? ▷ ..... / **1 point**

❑ A

❑ B

❑ C

4. Pour venir écouter Raphaël Louis, quel est le prix de l'entrée ? ▷ ..... / **1 point**

....

5. Il est bientôt 17 h 30, vous devez vous présenter aux caisses si vous empruntez des… ▷ ..... / **1 point**

❑ A

❑ B

❑ C

54 Exercice 2 : Comprendre un message
sur répondeur

⊳ ..... / 6 points

**Lisez les questions. Écoutez le document puis répondez. Vous êtes en France.
Vous écoutez ce message sur votre répondeur.**

1. Samia va faire un spectacle de...   ⊳ ..... / 1 point

❏ A   ❏ B   ❏ C

2. Le spectacle de Samia est à quelle heure ?   ⊳ ..... / 1 point

❏ 15 h 30.
❏ 16 h 00.
❏ 16 h 30.

3. Le spectacle de Samia se passe où ?   ⊳ ..... / 1 point

....

4. Combien allez-vous payer pour voir Samia ?   ⊳ ..... / 1 point

....

5. Samia a réservé pour vous une place...   ⊳ ..... / 1 point

❏ en hauteur.
❏ près de la scène.
❏ au milieu de la salle.

6. Quel est le numéro de téléphone de Samia ?   ⊳ ..... / 1 point

....

 55 Exercice 3 : Comprendre une émission de radio   ⊳ ..... / 6 points

**Lisez les questions. Écoutez le document puis répondez.
Vous écoutez cette émission à la radio française.**

1. Quel âge à Benoît ?   ⊳ ..... / 1 point

....

2. On peut faire quel sport dans le collège de Benoît ? ▷ ...../1 point

❑ A

❑ B

❑ C

3. Quel est le sport préféré de Benoît ? ▷ ...../1 point

❑ Le rugby.
❑ Le basket.
❑ Le skateboard.

4. Pourquoi Benoît adore le prof de dessin ? ▷ ...../1 point

....

5. Parfois, Benoît et sa classe vont où avec le prof de dessin ? ▷ ...../1 point

....

6. L'année prochaine, Benoît et sa classe vont... ▷ ...../1 point

❑ peindre en couleurs les murs du collège.
❑ faire des dessins pour décorer le collège.
❑ planter des arbres dans la cour du collège.

 56 **Exercice 4 :** Comprendre une conversation ▷ ...../8 points

Vous allez entendre 2 fois 4 dialogues, correspondant à 4 situations différentes.
Lisez les situations. Écoutez le document puis reliez chaque dialogue à la situation correspondante.

Dialogues

Dialogue 1 ●
Dialogue 2 ●
Dialogue 3 ●
Dialogue 4 ●

Situations

● **a.** Accepter une proposition.
● **b.** Expliquer un endroit.
● **c.** Demander de l'aide.
● **d.** Promettre quelque chose.

Compréhension des écrits

> ..... / 25 points

Exercice 1 : Lire pour s'orienter

> ..... / 5 points

Vous êtes en séjour linguistique à Namur, en Belgique. Vous voulez proposer des spectacles à vos amis. Vous lisez le guide des sorties de la ville.

1 *Cléopâtre*
La comédie musicale de Kamel Ouali. Des chansons inoubliables et des chorégraphies animées pour l'histoire de la reine d'Égypte.

2 Amaluna
Franco Dragone revient en Belgique avec ce nouveau spectacle du Cirque du soleil : pour les petits et les grands.

3 *Art*, pièce de théâtre de Yazmina Réza : trois amis se disputent à cause d'un tableau. Les acteurs sont supers !

4 Platée
Opéra français de J.-P. Rameau. Une comédie géniale de 1745 qui fait toujours rire. Musique splendide, et beaucoup d'humour. Tarif jeune : 8 euros.

5 **Soirée Romain Duris** au cinéma Multiplex : 3 films pour le prix d'un seulement : *L'auberge espagnole, Les poupées russes,* et *Casse-tête chinois.*

Associez le spectacle qui correspond à chaque personne.

Situations	Spectacle n°
a. Kévin et Samia sont passionnés de musique classique.	....
b. Ludivine et Pierre adorent le cinéma français et ont peu d'argent.	....
c. Amélie adore la danse et le chant.	....
d. Vincent et Olivier prennent des cours de théâtre.	....
e. Paolo comprend mal le français et adore le cirque.	....

Exercice 2 : Lire une correspondance

▷ ..... / 6 points

Vous avez reçu cette carte postale d'une amie française.

Salut,

Je suis à Liège, je suis très occupée mais j'ai le temps de t'écrire cette petite carte postale. Je participe à des ateliers et à des activités intéressantes au Forum de la Jeunesse. J'ai rencontré des jeunes venus du monde entier. Tout le monde parle français. Hier, je suis devenue amie avec Myriam, une fille qui vient de Montréal. Je l'adore parce qu'elle est drôle. Hier soir, on s'est baladée en ville, on a vu la gare des Guillemins : très moderne, j'aime beaucoup la forme ! On a mangé des frites et on a bu un café liégeois ! Dedans, il y a de la glace à la vanille. Je ne savais pas ! C'est bon !

Des bises

Soraya

Super A2
10 rue des Héros
METROPOLIS

---

1. Pourquoi est-ce que Soraya est à Liège ?   ▷ ..... /1 point

❏ Elle fait ses études.

❏ Elle est en vacances.

❏ Elle participe à un événement.

2. Pourquoi Soraya aime beaucoup Myriam ?   ▷ ..... /1,5 point

....

3. Hier soir, Soraya et Myriam...   ▷ ..... /1 point

❏ ont pris le train ensemble.

❏ ont participé à des activités.

❏ ont fait une promenade en ville.

4. Soraya a découvert quelle particularité de la gastronomie de Liège ?   ▷ ..... /1 point

❏ La forme des frites.

❏ Les parfums des glaces.

❏ La recette du café liégeois.

5. Qu'est-ce que Soraya a pensé de la spécialité qu'elle a découverte à Liège ?   ▷ ..... /1,5 point

....

Exercice 3 : Lire des instructions

▷ ..... / 6 points

Vous lisez cette recette dans un magazine français.

Tiramisu de biscuits dans un verre

UNE RECETTE DE DESSERT FACILE, ORIGINALE ET DÉLICIEUSE.

Ingrédients :
- 3 œufs
- 50 g. de sucre
- 200 g. de fromage blanc
- 200 g. de fromage mascarpone
- 12 biscuits (type Cookies)
- 6 verres.

Préparation :
- Dans un mixeur, **mixez** les biscuits pour obtenir de la poudre.
- Si vous utilisez des biscuits avec de la crème dedans, **enlevez** la crème avec un couteau **avant de mixer**.
- **Séparez** le blanc du jaune d'œuf.
- **Mélangez** les jaunes d'œufs avec le sucre, le mascarpone et le fromage blanc pour faire une crème.
- Dans un verre, **mettez** une couche de biscuits mixés.
- **Ajoutez** 2 cuillères à soupe de crème.
- **Ajoutez** une couche de biscuits mixés.
- Puis une couche de crème jusqu'à remplir le verre.
- Enfin, **décorez** avec un biscuit entier coupé en deux.
- **Mettez** au frigidaire et **laissez refroidir** pendant 1 heure.

1. Pour faire ce dessert, vous avez besoin de quoi ? ▷ ..... / 1 point

❏ A ❏ B ❏ C

2. Pour cette recette, les biscuits doivent être... ▷ ..... / 1 point

❏ mis dans de la crème.

❏ transformés en poudre.

❏ mélangés avec du sucre.

3. Qu'est-ce que vous devez mélanger avec les jaunes d'œufs, le sucre et le fromage blanc ? ▷ ..... / 1 point

❏ La crème.

❏ Les biscuits.

❏ Le mascarpone.

4. Sur la couche de biscuits mixés, vous devez mettre quelle quantité de crème ? ▷ ..... / 1,5 point

....

5. La préparation doit rester au réfrigérateur pendant combien de temps ? ▷ ..... / 1,5 point

....

Exercice 4 : Lire pour s'informer

⊳ ..... / 8 points

Vous lisez cet article sur un site Internet français. Répondez aux questions.

athletesderue.com

DES MUSCLES EN VILLE

Athlètes de Rue est un groupe de sportifs, né en 2011 à Lyon, créé par Agnès Maemblé pour motiver les jeunes à faire du sport. Le street fitness (la musculation de rue) mélange des mouvements de musculation en rythme avec des éléments de la rue (arbres, parcs pour enfants, etc.). Athlètes de Rue n'est pas un club de musculation. Les athlètes ne passent pas des heures devant un miroir. Ils font du sport dans la ville, devant les gens. Leur sport est aussi un art : l'art de sculpter son corps en plein air, mais en s'amusant.
Dans Athlètes de Rue il y a des hommes et des femmes de toutes les professions : banquier, étudiants, policiers... Il y a aussi des personnes handicapées, comme Armand, sourd et muet. Le groupe aide à accepter les autres. Ils vont aussi dans les écoles, les hôpitaux pour montrer les avantages du sport.
Le groupe est maintenant très connu en France parce qu'il a participé à un programme de télévision : *La France a un incroyable talent*.

D'après www.athletesderue.com

1. Athlètes de Rue, c'est...   ⊳ ..... / 1 point

❏ une équipe de sportifs.

❏ une compétition de sport.

❏ une nouvelle salle de musculation.

2. Pourquoi Agnès Maemblé a créé Athlètes de Rue ?   ⊳ ..... / 1,5 point

....

3. Vrai ou faux ? Cochez la case correspondante et recopiez la phrase ou la partie du texte qui justifie votre réponse.

⊳ ..... / 3 points (1,5 point si le choix vrai/faux et la justification sont corrects, sinon, aucun point.)

	Vrai	Faux
a. D'après l'article, le street fitness est à la fois un sport et un art. Justification :		
b. Dans le groupe d'Agnès Maemblé, il y a seulement de jeunes étudiants. Justification :		

4. Le groupe d'Agnès va dans les écoles pour...   ⊳ ..... / 1 point

❏ donner des cours de musculation.

❏ faire des démonstrations d'athlétisme.

❏ expliquer qu'il est bon de pratiquer un sport.

5. Pourquoi le groupe créé par Agnès Maemblé est, aujourd'hui, célèbre en France ?   ⊳ ..... / 1,5 point

....

Production écrite
▷ ..... / 25 points

Exercice 1 : Décrire un événement ou raconter une expérience personnelle
▷ ..... / 13 points

Vous avez fait une sortie scolaire d'un week-end. Vous écrivez une lettre à un ami français pour lui raconter votre week-end (lieu, logement, activités). Vous donnez vos impressions sur la sortie. (60 mots minimum)

Exercice 2 : Inviter, remercier, s'excuser, demander, informer, féliciter
▷ ..... / 12 points

Vous recevez ce courriel d'une amie française.

De : margot@gmail.fr

Objet : **Vacances**

Salut,
Je suis contente de t'accueillir bientôt chez moi. Est-ce que tu arrives toujours mardi à 18 heures ? J'ai préparé ta chambre !
J'ai un gros chien, il s'appelle Félix. Est-ce que tu aimes les chiens ? Il n'est pas méchant.
Qu'est-ce que tu n'aimes pas manger ? Mes parents veulent savoir !
À bientôt !
Margot

Vous répondez à Margot. Vous la remerciez pour son message. Vous vous excusez car, mardi, vous arrivez plus tard que 18 heures et vous donnez l'heure précise de votre arrivée. Vous répondez à ses questions. (60 mots minimum)

Production orale
▷ ..... / 25 points

01 ### Exercice 1 : Entretien dirigé
> SANS PRÉPARATION (1 minute 30 environ)

Après avoir salué votre examinateur, vous vous présentez (vous parlez de vous, de votre famille, de vos amis, de vos études, de vos goûts, des animaux que vous aimez, etc.). L'examinateur vous posera des questions complémentaires.

Exercice 2 : Monologue suivi
> AVEC PRÉPARATION (2 minutes environ)

SUJET 1. *Les saisons* – Quelle est votre saison préférée ? Pourquoi ? Que faites-vous en général pendant cette saison ?

03 **SUJET 2. *L'habitat*** — Comment est votre chambre ? Où est-elle dans la maison ? Qu'est-ce qu'il y a dedans ? Comment est-elle décorée ?

Exercice 3 : Exercice en interaction

> AVEC PRÉPARATION
(3 ou 4 minutes environ)

05 SUJET 1. *Fête d'anniversaire* — Vous voulez organiser la fête d'anniversaire de votre ami Julien. Votre ami français aimerait vous aider. Vous discutez ensemble et vous vous mettez d'accord sur l'organisation de cette fête.
L'examinateur joue le rôle de l'ami français.

SUJET 2. *Tourisme* — Vous visitez Montpellier en été avec vos parents. Vous allez au bureau de tourisme pour demander des informations sur les activités culturelles et sportives, les prix et les transports.
L'examinateur joue le rôle de l'employé de l'office de tourisme.

Documents pour l'examinateur :

Piscine olympique d'Antigone **1**

Bassin de sport et bassin ludique avec toboggan, rivières rapides etc.
Tram 1 : arrêt **Antigone**
Adultes : **5 €**
Moins de 18 ans : **2,70 €**

Les plages Palavas **2**

Tram 3, terminus, prendre le bus avec le même ticket jusqu'à la mer.
Gratuit.

Patinoire Vegapolis à Odysseum **3**

Terminus tram 1 direction Odysseum.
Entrée Adulte : **5,30 €**
Entrée Enfant (–16 ans) : **4,35 €**
Location de patins : **2,85 €**
Étudiants (entrée + location) : **4,50 €**

Festival International de danse de Montpellier **4**

Spectacles à l'espace Agora
Tram 1 et 4, arrêt Louis Blanc
Carte Agora, à partir de **15 €** pour 2 spectacles.

Opéra **5**

- Place de la Comédie
  Tram 1 ou 2
- Le Corum
  Palais des congrès
  Tram 1, 2 ou 4.
Voir tarifs sur le site du festival de Radio France.

Stade Philippidès **6**

Tram 1, arrêt du même nom, direction Mosson.
Ouvert au public :
20 heures - 22 heures idéal en été.
Gratuit.

Vous pouvez vous entraîner aux épreuves de production orale grâce aux **dialogues interactifs** proposés sur le DVD-ROM !
Des modèles de grilles d'évaluation sont aussi disponibles dans la partie **Pour la classe**.

Compréhension de l'oral

▷ ..... / 25 points

 57 Exercice 1 : Comprendre une annonce

▷ ..... / 5 points

Lisez les questions. Écoutez le document puis répondez. Vous êtes au théâtre en France. Vous écoutez cette annonce.

1. Le spectacle est composé de combien de parties ?   ▷ ..... / 1 point

....

2. Dans le théâtre, où se situe le bar ?   ▷ ..... / 1 point

....

3. Au bar du théâtre, si vous achetez une boisson, on vous offre...   ▷ ..... / 1 point

 ❑ A

 ❑ B

 ❑ C

4. Pour recevoir un produit gratuit, vous devez présenter votre...   ▷ ..... / 1 point

❑ billet d'entrée.
❑ ticket de caisse.
❑ carte d'abonnement.

5. Pour le spectacle, la personne qui fait l'annonce donne quelle interdiction ?   ▷ ..... / 1 point

 ❑ A

 ❑ B

 ❑ C

🎧 58 **Exercice 2 :** Comprendre un message
sur répondeur

▷ ...... / 6 points

Lisez les questions. Écoutez le document puis répondez.
Vous écoutez ce message sur votre répondeur.

1. Vendredi soir, Morgane vous invite chez elle pour... ▷ ...... / 1 point
   ❏ jouer aux jeux vidéo.
   ❏ faire un match de football.
   ❏ regarder du sport à la télévision.

2. Vendredi soir, les parents de Morgane sont où ? ▷ ...... / 1 point

   ....

3. Vendredi soir, Alexandre apporte... ▷ ...... / 1 point
   ❏ des jeux.
   ❏ des films.
   ❏ des boissons.

4. Pour vendredi soir, qu'est-ce que Morgane va préparer ? ▷ ...... / 1 point

❏ A	❏ B	❏ C

5. À quelle heure est le rendez-vous, vendredi soir ? ▷ ...... / 1 point

   ....

6. Pour donner votre réponse, qu'est-ce que vous devez faire ? ▷ ...... / 1 point

   ....

🎧 59 **Exercice 3 :** Comprendre une émission de radio ▷ ...... / 6 points

Lisez les questions. Écoutez le document puis répondez.
Vous écoutez cette émission à la radio française.

1. Le Salon des animaux a commencé quand ? ▷ ...... / 1 point

   ....

2. Cette année, quelle est la nouveauté du Salon ?   ✎ ...../1 point

....

3. Quels animaux sont présents au Salon chaque année ?   ✎ ...../1 point

❑ A   ❑ B   ❑ C

4. Ludivine trouve que la vache est...   ✎ ...../1 point

❑ utile.

❑ gentille.

❑ stupide.

5. Les parents de Ludivine...   ✎ ...../1 point

❑ sont fermiers.

❑ ont des vaches.

❑ vont acheter des lapins.

6. Le salon va finir quand ?   ✎ ...../1 point

....

 Exercice 4 : Comprendre une conversation   ✎ ...../8 points

**Vous allez entendre 2 fois 4 dialogues, correspondant à 4 situations différentes.
Lisez les situations. Écoutez le document puis reliez chaque dialogue à la
situation correspondante.
Vous êtes dans une école en Belgique, vous entendez ces conversations.**

Dialogues

Dialogue 1 ●

Dialogue 2 ●

Dialogue 3 ●

Dialogue 4 ●

Situations

● **a.** Refuser une invitation.

● **b.** Décrire un vêtement.

● **c.** Donner un conseil.

● **d.** Proposer une boisson.

Compréhension des écrits

▷ ..... / 25 points

Exercice 1 : Lire pour s'orienter

▷ ..... / 5 points

Vos camarades de classe cherchent des formules pour faire un séjour linguistique. Regardez ce guide qui propose 5 idées.

1 Chez l'habitant :
Tu vis dans une famille française. Tu parles toujours en français avec eux, tu as une chambre pour toi.

2 Dans un internat :
Partage la vie quotidienne des jeunes de ton âge : tu dors avec 4 collégiens dans une chambre.

3 Chez un professeur de langue :
tu vis dans une famille d'accueil. Un des parents est professeur et te donne des cours individuels.

4 Un séjour à thème :
Beaucoup d'écoles de langues offrent des séjours : cours le matin et activités sportives l'après-midi.

5 Un voyage en famille :
Peur de partir seul ? Pars en voyage avec tes parents, et fais le traducteur pour eux !

Qu'allez-vous proposer à chacun de vos amis ?
Associez la formule qui correspond à chaque personne.

Situations | **Formule n°**

a. Kamel veut vivre la vie de tous les jours d'une famille française. ....

b. Gabriel est très dynamique, il adore faire du sport. ....

c. Linda cherche une famille d'accueil et voudrait suivre des leçons de grammaire. ....

d. Marion n'est pas très courageuse, elle préfère voyager avec sa famille. ....

e. Pierre veut vivre et discuter avec des collégiens. ....

Exercice 2 : Lire une correspondance

▷ ..... / 6 points

Vous recevez ce courriel d'un ami français.

De : benji@gmail.com

Salut,
Je suis en vacances en Bretagne chez ma cousine Bénédicte. On s'amuse bien, elle a une grande maison face à la mer. Ce n'est pas près d'une plage mais on voit les bateaux par la fenêtre, c'est beau ! Je suis super content parce que mes cousins sont là aussi.
L'après-midi, on joue au volley sur la plage. L'océan ici est beaucoup plus froid que la mer à Perpignan, alors pas de baignade ! Dommage.
Samedi, on fait une fête pour l'anniversaire de ma cousine. Je voudrais lui préparer un gâteau. Tu pourrais m'envoyer une recette facile à faire ?
Bisous
Benoît

1. Bénédicte habite…   ▷ ..... / 1 point

- ❏ face à la mer.
- ❏ sur un bateau.
- ❏ près d'une plage.

2. Qu'est-ce que Benoît peut voir par la fenêtre de la maison ?   ▷ ..... / 1,5 point

....

3. Benoît est content car…   ▷ ..... / 1 point

- ❏ il va à la plage.
- ❏ il joue au volley.
- ❏ il est avec ses cousins.

4. Benoît ne se baigne pas car…   ▷ ..... / 1 point

- ❏ il reste à la maison.
- ❏ l'eau est trop froide.
- ❏ il préfère jouer au volley.

5. Qu'est-ce que vous devez envoyer à Benoît ?   ▷ ..... / 1,5 point

....

Exercice 3 : Lire des instructions   ▷ ..... / 6 points

Vous lisez cet article dans un magazine français.

BOUGIES SUR L'EAU POUR
HALLOWEEN

Décorer des citrouilles pour Halloween, c'est sympa, mais ce n'est pas facile. Tu n'as pas de citrouille ? Tu cherches une idée plus facile ? Voici l'idée parfaite pour tes soirées d'automne !

Il te faut :

- 3 petites bougies plates
- 3 pommes rouges
- 1 grand saladier transparent ou un aquarium vide.
- 1 couteau

Réalisation :

- Avec un couteau, fais un trou en haut des pommes de la grosseur d'une petite bougie plate.
- Dessine dans la pomme des yeux, un nez et une bouche, comme pour une citrouille.
- Mets une petite bougie dans le trou de chaque pomme.
- Remplis le saladier d'eau aux 2 tiers.
- Pose délicatement les pommes sur l'eau.
- Allume les bougies et éteins la lumière de ta chambre.

Idée :
Tu peux décorer le fond du saladier avec des petits jouets thématiques Halloween, (fantôme, araignées, squelette), ou des cailloux orange et noirs.

1. Cet article propose un mode d'emploi pour faire...   ▷ ..... / 1 point

❑ un jeu de société.

❑ une recette de cuisine.

❑ un objet de décoration.

2. De quels aliments avez-vous besoin ?   ▷ ..... / 1 point

❑ A   ❑ B   ❑ C

3. Avec un couteau, vous devez faire un trou dans...   ▷ ..... / 1,5 point

....

4. Vous devez placer les bougies...   ▷ ..... / 1 point

❑ sur l'eau.   ❑ dans les aliments.   ❑ au fond du saladier.

5. Qu'est-ce que vous pouvez ajouter dans le saladier ?   ▷ ..... / 1,5 point
(Plusieurs réponses possibles, une seule attendue.)

....

Exercice 4 : Lire pour s'informer   ▷ ..... / 8 points

Vous lisez cet article dans un magazine français.

La Fête de la Nature a été créée en 2007 grâce à l'Association française de protection de la nature et au magazine *Terre Sauvage* pour célébrer la nature chaque année. Pendant cette fête, les associations de protection et d'éducation organisent des milliers d'événements. Pas besoin d'aller dans un lieu unique, vous pouvez trouver des activités organisées dans les écoles, les entreprises, et même parfois chez les gens ! Tout ça, partout dans le pays, dans les villes comme à la campagne, mais aussi en Suisse, au Portugal et aux Pays-Bas.

" **La fête de la nature** l'événement référence en France "

La Fête de la Nature se déroule chaque année au mois de mai, à une date proche (sauf exception) du 22 mai, parce que c'est la date de la Journée internationale de la biodiversité. Sur le site Internet, il est possible de trouver très facilement des événements intéressants. On peut donner sa région, et ses thèmes préférés : forêt au Pays basque, poissons en Alsace, il y a certainement une activité pour vous !

D'après www.fetedelanature.com

1. Qu'est-ce que Terre Sauvage ?   ▷ ..... / 1 point

  ❏ Un magazine.
  ❏ Un reportage.
  ❏ Une association.

2. La Fête de la Nature a été créée pour...   ▷ ..... / 1,5 point

  ....

3. Vrai ou faux ? Cochez la case correspondante et recopiez la phrase ou la partie du texte qui justifie votre réponse.

  ▷ ..... / 3 points (1,5 point si le choix vrai/faux et la justification sont corrects, sinon, aucun point.)

	Vrai	Faux
a. La Fête de la Nature se passe dans un endroit précis. Justification :		
b. La Fête de la Nature est célébrée seulement en France. Justification :		

4. Pourquoi la Fête de la Nature se passe à une date proche du 22 mai ?   ▷ ..... / 1,5 point

  ....

5. Le site Internet de la Fête de la Nature permet...   ▷ ..... / 1 point

  ❏ de trouver des activités.
  ❏ d'organiser des activités.
  ❏ de s'inscrire à des activités.

Production écrite
   ▷ ..... / 25 points

Exercice 1 : Décrire un événement ou raconter une expérience personnelle
   ▷ ..... / 13 points

Pour le webmagazine de la classe de votre correspondant français, vous écrivez un petit article sur votre école dans votre pays. Vous la décrivez, parlez de vos professeurs et de votre emploi du temps. Vous dites ce que vous aimez et ce que vous n'aimez pas dans votre école et vous expliquez pourquoi. (60 mots minimum)

Exercice 2 : Inviter, remercier, s'excuser, demander, informer, féliciter
▷ ..... / 12 points

Vous recevez ce courriel d'un ami français.

De : jerem@hotmail.com

Objet : **Nouvelles ?**

Salut,
La semaine dernière, je t'ai envoyé les photos de ma compétition de karaté.
Tu as vu, j'ai gagné ! Je ne comprends pas pourquoi tu ne m'as pas répondu.
Donne-moi de tes nouvelles s'il te plaît.
Jérémy

Vous répondez à Jérémy, vous vous excusez, vous expliquez pourquoi vous ne lui avez pas écrit. Vous le félicitez pour sa victoire et vous lui proposez un rendez-vous pour le voir (jour, heure et lieu). (60 mots minimum)

Production orale
▷ ..... / 25 points

02 ## Exercice 1 : Entretien dirigé   > SANS PRÉPARATION (1 minute 30 environ)

Après avoir salué votre examinateur, vous vous présentez (vous parlez de vous, de votre famille, de vos amis, de vos études, de vos goûts, des animaux que vous aimez, etc.). L'examinateur vous posera des questions complémentaires.

Exercice 2 : Monologue suivi   > AVEC PRÉPARATION (2 minutes environ)

04 SUJET 1. *Les vacances* – Racontez vos dernières vacances. C'était où ? Avec qui ? Qu'avez-vous fait ?

SUJET 2. *L'école* – Comment est votre école ? Quelle est votre matière préférée ? Quel professeur aimez-vous ? Pourquoi ?

Exercice 3 : Exercice en interaction   > AVEC PRÉPARATION (3 ou 4 minutes environ)

06 SUJET 1. *Visite* – Votre correspondant français est chez vous. Vous lui proposez de visiter un endroit de votre ville que vous aimez. Vous lui expliquez pourquoi vous aimez ce lieu, et lui proposez d'aller manger quelque chose après.
L'examinateur joue le rôle du correspondant.

SUJET 2. *Exposé* – Votre professeur de français vous a demandé de faire un exposé sur votre plat préféré. Vous lui demandez des détails sur l'exposé (support, durée, présentation...) et lui proposez de cuisiner en classe.
L'examinateur joue le rôle du professeur.

Dans le DVD-ROM, vous trouverez :

■ Tous les **audios** pour préparer l'épreuve de Compréhension de l'oral.

■ Les **vidéos** de présentation des épreuves collectives et de l'épreuve individuelle.

■ Les **vidéos** authentiques des épreuves.

■ Les **dialogues interactifs** pour s'entraîner à l'épreuve de Production orale.

■ Le questionnaire **Je découvre le DELF** à imprimer.

■ **4 épreuves blanches** complètes à imprimer.

■ Les **grilles d'évaluation** officielles des examinateurs expliquées aux candidats.

En classe ou en autonomie : avec vous pour réussir le DELF !

Achevé d'imprimer en mars 2020 en Italie par L.E.G.O. S.p.A.
Dépôt légal : novembre 2016 - Édition 04
24/9643/8